「十三五」国家重点出版物出版规划项目

国家出版基金项目
NATIONAL PUBLICATION FOUNDATION

中国中药资源大典

中国中药资源大典

资源大典 广东卷 ④

黄璐琦／总主编

叶华谷　廖文波　潘超美／主　编

北京科学技术出版社

图书在版编目（CIP）数据

中国中药资源大典. 广东卷. 4 / 叶华谷，廖文波，潘超美主编. -- 北京 ：北京科学技术出版社，2024. 6.
ISBN 978-7-5714-4006-0

Ⅰ. R281.4
中国国家版本馆CIP数据核字第20247D1A01号

责任编辑：侍　伟　李兆弟　王治华　庞璐璐　吕　慧
责任校对：贾　荣
图文制作：樊润琴
责任印制：李　茗
出 版 人：曾庆宇
出版发行：北京科学技术出版社
社　　址：北京西直门南大街16号
邮政编码：100035
电　　话：0086-10-66135495（总编室）　　0086-10-66113227（发行部）
网　　址：www.bkydw.cn
印　　刷：北京博海升彩色印刷有限公司
开　　本：889 mm×1 194 mm　　1/16
字　　数：915千字
印　　张：41.25
版　　次：2024年6月第1版
印　　次：2024年6月第1次印刷
审 图 号：GS京（2023）1758号
ISBN 978-7-5714-4006-0

定　　价：490.00元

《中国中药资源大典·广东卷》

总编写委员会

总 主 编 黄璐琦（中国中医科学院）

主　　编 潘超美（广州中医药大学）

叶华谷（中国科学院华南植物园）

廖文波（中山大学）

夏念和（中国科学院华南植物园）

晁　志（南方医科大学）

黄海波（广州中医药大学）

严寒静（广东药科大学）

童毅华（中国科学院华南植物园）

童　毅（广州中医药大学）

赵万义（中山大学）

凡　强（中山大学）

编　　委（按姓氏笔画排序）

凡　强（中山大学）

王亚荣（中山大学）

王英强（华南师范大学）

邓旺秋（广东省科学院微生物研究所）

叶华谷（中国科学院华南植物园）

叶幸儿（广东药科大学）

付　琳（中国科学院华南植物园）

白　琳（中国科学院华南植物园）

刘基柱（广东药科大学）

严寒静（广东药科大学）

李泰辉（广东省科学院微生物研究所）

肖凤霞（广州中医药大学）

何春梅（广东省林业科学研究院）

张宏伟（南方医科大学）

陈　娟（中国科学院华南植物园）

陈秋梅（广州中医药大学）

林哲丽（韶关学院）

赵万义（中山大学）

秦新生（华南农业大学）

夏　静（广州白云山和记黄埔中药有限公司）

夏念和（中国科学院华南植物园）

晁　志（南方医科大学）

黄海波（广州中医药大学）

梅全喜（深圳市宝安区中医院）

彭泽通（广州中医药大学）

童　毅（广州中医药大学）

童家赟（广州中医药大学）

童毅华（中国科学院华南植物园）

曾飞燕（中国科学院华南植物园）

楼步青（广东省中医院）

廖文波（中山大学）

潘超美（广州中医药大学）

《中国中药资源大典·广东卷4》

编写委员会

主　　编　叶华谷　廖文波　潘超美

副 主 编　曾飞燕　凡　强　付　琳　赵万义　黄海波

编　　委（按姓氏笔画排序）

于　慧　凡　强　叶华谷　叶育石　付　琳　李如良　李健容　张慧晔

陈　珽　陈玉笋　陈玉娥　陈秋梅　陈海山　赵万义　赵凌霄　钟慧怡

唐秀娟　黄海波　黄萧洒　彭泽通　童　毅　曾飞燕　曾伟雄　廖文波

潘超美

黄 序

　　中药资源是中医药事业传承和发展的物质基础，是关系国计民生的战略性资源。为促进中药资源保护、开发和合理利用，国家中医药管理局组织开展了第四次全国中药资源普查。广东省得天独厚的地理环境，孕育了丰富多样、具有岭南特色的中药资源。《中国中药资源大典·广东卷》对广东省中药资源现状的总结，也是广东省中药资源普查成果的集中体现。

　　本书分上、中、下篇，上篇介绍了广东省中药资源概况、中药资源普查工作及中药资源产业现状等，中篇介绍了广东省23种道地、大宗中药资源的栽培面积、分布区域、资源利用等，下篇为广东省3 514种中药资源的基本信息。本书充分反映了广东省中药资源的最新研究成果，内容丰富，体例新颖，图文并茂，为一部具有较高学术价值和实用价值的工具书。

　　相信本书的出版可为进一步开展中药品质研究与评价、推动中药产业的健康和可持续发展、为地方制定中药产业政策提供支撑，为推动区域经济社会高质量发展贡献力量。

　　欣闻本书即将付梓，乐之为序。

中国工程院院士

中国中医科学院院长

第四次全国中药资源普查技术指导专家组组长

2024 年 4 月

序 言

　　中药资源是中医药事业发展的物质基础，国家高度重视中药资源保护及其可持续利用。我国已开展了 4 次全国范围的中药资源普查，其中第四次全国中药资源普查工作起止时间为 2011—2021 年。第四次全国中药资源普查确认了我国共有 18 817 种药用资源，与第三次普查相比增加了 6 000 多种，其中，3 151 种为我国特有的药用植物，464 种为需要保护的物种；还发现 196 个新物种，其中约 100 种具有潜在药用价值。

　　广东省第四次中药资源普查工作于 2014 年开始、2021 年 11 月结束，历时近 8 年，普查区域实现了对全省全部县级行政区域的覆盖。为推广中药资源普查成果，更好地服务于广东省中药产业发展，广东省第四次全国中药资源普查（试点）工作办公室（以下简称广东省普查办）、广东省中药资源普查（试点）工作技术专家指导委员会组织相关专家、学者和技术人员，从广东省中药资源概况、重点中药资源情况、中药资源监测体系建设、中药材种植生产区划、传统医药知识收集、种质资源圃建设等方面入手，进行了数据统计和细致的整理研究工作，汇总了广东省在中药资源保护、科研和产业等领域取得的一系列成果。一是基本摸清了广东省中药资源家底，为编制《中国中药资源大典·广东卷》提供了翔实的数据。本次普查共发现药用植物 3 443 种，其中涵盖栽培药用植物 185 种；发现新种 8 种，新分布记录属和新分布记录种共 11 种；对区域内水生和耐盐药用资源、菌类药用资源、瑶药资源等进行了专项调研，构建了广东省岭南中药资源信息管理系统。二是建立了广东省中药资源动态监测信息和技术服务体系，形成了区域内中药资源动态监测网络，与国家中药资源动态监测信息和技术服务体系实现了数据共享，形成了长效机制，可实时掌握广东省中药材的产量、流通量、价格和质量等的变化趋势，促进中药产业的健康发展。广东省中药资源普查过程中开展了区域内重点道地药材品种的标准化建设，开展了中药材产业扶贫行动，使中药材生产成为推进乡村振兴的重要抓手，为加快区域中药材产业的发展贡献了力量。三是建立了省级中药材种子种苗繁育基地、省中药药用植物重点物种保存圃和种质资源圃，保存广东省活体中药药用植物种质资源2 639份，从源头上保证了中药材的质量，促进了珍稀、濒危、道地药材的繁育和保护，凸显了中药资源保护和可持续利用工作的重要性。四是在汇总广东省中药资源相关传统知识调查成果的基础上，梳理了广东省岭南地区独特地理气候条件下的人群体质特点，形成了具有地域特色的岭南中医药学体系亮点，如广东凉茶、罗浮山百草油、沙溪凉茶、冯了性风湿跌打药酒、跌打万花油、乌鸡白凤丸等具有岭南特色的中药配伍应用；整理出岭南民间特色治疗验方554首，挖掘、传承、保护与中药资源相关的传统知识。五是汇编出版了《广东省中药资源志要》《梅州中草药图鉴》《乳源瑶医瑶药志要》《岭南采药录考释》等专著。

《中国中药资源大典·广东卷》是对广东省第四次中药资源普查工作成果的全面汇总，是全体普查人员经过多年努力，获得的广东省中药资源现状的第一手资料。《中国中药资源大典·广东卷》由广州中医药大学、中国科学院华南植物园、中山大学、南方医科大学、广东药科大学、华南农业大学等17个普查技术单位的200多位普查技术人员共同编撰完成。全书分为上篇、中篇、下篇，共12册。上篇全面介绍了广东省中药资源生态环境、分布概况，梳理了广东省中药资源和产业现状，对比广东省第三次中药资源普查结果，对广东省野生药用资源分布、人工种植（养殖）中药资源物种的变化、中药材市场流通情况、岭南民间用药特点等进行了分析，并提出了广东省中药资源区划和发展建议；中篇详细地介绍了广东省23种道地、大宗中药资源的资源情况、分布情况、栽培情况、采收应用等内容，为中药材产业的高质量发展提供了技术服务，为中药材生产布局提供了参考；下篇对广东省境内3 514种中药资源物种（药用植物、药用动物、药用矿物）做了图文并茂的介绍，展现了广东省中药资源领域的最新数据信息成果。《中国中药资源大典·广东卷》的出版客观真实地反映了广东省中药资源的整体情况，对广东省乃至全国中药资源的保护、合理利用、开发、科研、教学以及产业规划等将发挥重要的指导作用。

《中国中药资源大典·广东卷》编写委员会

2024 年 3 月

前 言

　　广东省位于我国大陆最南端，北回归线横穿其中部。全省地势北高南低，山脉大多呈东北—西南走向。气候从北向南分别为中亚热带、南亚热带和热带气候，受海洋上的湿润气流影响，夏季高温多雨、多台风，冬季多干旱且有冷空气侵袭。广东省年平均气温为18.9 ~ 23.8 ℃，气温呈南高北低的特点，南端雷州半岛年平均气温最高，为23.8 ℃，粤北山区年平均气温最低，为18.9 ℃；历史极端最高气温为42.0 ℃，极端最低气温为−7.3 ℃。

　　广东省光、热、水资源丰富，得天独厚的地理环境和气候为生物的生长创造了优越的条件，动植物种类繁多，药用植物资源非常丰富。广东省的植被类型有纬度地带性分布的北亚热带季雨林、南亚热带季风常绿阔叶林、中亚热带典型常绿阔叶林和沿海的热带红树林，还有非纬度地带性分布的常绿落叶阔叶混交林、常绿针阔叶混交林、常绿针叶林、竹林、灌丛和草坡，以及水稻、甘蔗和茶树等栽培植被。

　　2014 年，广东省启动了第四次中药资源普查工作，到2021 年11 月普查结束。广东省本次中药资源普查共记录调查信息445 240 条、中药资源4 692 种（已确认的药用植物3 443 种），调查中药材栽培面积14.3 万 hm^2，涵盖药用植物栽培品种185 种；记录病虫害种类351 种，调查市场主流药材品种852 种，记录传统医药知识信息629 条。通过统计分析现有典籍专著和文献记载的广东省药用资源种类信息，结合广东省本次中药资源普查结果，确定广东省现有中药资源种类为3 587 种。广东省本次中药资源普查调查代表区域 368 个，调查样地 4 056 个，调查样方套 20 273 个，记录有蕴藏量的中药资源 330 种，收集药材标本 4 977 份、中药材种质资源 2 639 份。此外，本次普查还对广东省菌类和水生、耐盐等药用植物资源进行了专项调研，收载大型药用真菌 217 种，隶属 26 科 46 属；记录水生药用植物资源 160 种、耐盐药用植物资源 269 种。

广东省是我国南药的主产区，与第三次中药资源普查相比，其道地药材和岭南特色药材的生产现状发生了很大的变化。广东省目前生产的道地药材品种主要有春砂仁、何首乌、广藿香、巴戟天、白木香、檀香、穿心莲、肉桂、广陈皮、芡实、山奈、益智等，珍稀野生药材品种有金毛狗、桫椤、青天葵、华南龙胆、蛇足石杉、金线兰等，岭南特色药材品种有莪术、红豆蔻、草豆蔻、甘葛、广山药、猴耳环、溪黄草、凉粉草、九节茶、鸡骨草、广金钱草、牛大力、千斤拔、黑老虎、铁皮石斛等。

广东省是中成药、中药配方颗粒、凉茶的生产大省，每年消耗的中药原料达数千吨，而许多中药原料主要来源于野生资源，导致野生药用资源品种数和蕴藏量均急剧减少。为了保证国家基本药物所需中药原料的可持续利用，广东省大部分制药企业建立了配套的中成药原料基地，还建立了野生中药资源转家种的药材原料基地，主要种植品种有黑老虎、吴茱萸、猴耳环、九里香、白花蛇舌草、溪黄草、紫茉莉、岗梅、毛冬青、两面针、三桠苦、草珊瑚、南板蓝根、山银花、鸡血藤、虎杖、龙脷叶、金樱子、金毛狗、钩藤、土牛膝、佩兰、千年健、山豆根、桃金娘、五指毛桃、无花果、地胆草、紫花杜鹃、裸花紫珠等稀缺原料药材，这些药材种植基地的建立对广东省中药资源的保护和可持续利用具有重要意义。

广东省第四次中药资源普查为广东省中药材产业提供了准确的资源信息，已有的成果数据信息可以更好地服务于产业发展，同时也为区域内主管部门制定相关法规政策提供了数据支撑。我们对广东省近 8 年来的普查数据进行了系统、严谨的梳理和统计，这对促进区域内中药资源的保护和可持续利用、促进地方中药资源产业和国民经济的发展具有重要意义。

《中国中药资源大典·广东卷》编写委员会

2024 年 3 月

凡 例

（1）本书分为上篇、中篇、下篇，共12册。上篇内容包括广东省自然地理概况、广东省第四次中药资源普查实施情况、广东省第四次中药资源普查成果、广东省中药资源发展存在的问题与建议；中篇重点介绍广东省23种道地、大宗中药资源；下篇是各论，共收载植物、动物、矿物等药用资源3 514种，以药用资源物种为单元进行介绍。本书主要参考《中国药典》《中国药材学》《中华本草》《中国植物志》《全国中草药汇编》等，以及历代本草文献等权威著作。为检索方便，本书在第1册正文前收录1 ～ 12册总目录，在页码前均标注了其所在册数（如"[1]"）。同时，还在第12册正文后附有1 ～ 12册所录中药资源的中文笔画索引、拉丁学名索引。

（2）植物分类系统。蕨类植物采用秦仁昌1978年分类系统。裸子植物采用郑万钧1975年分类系统。被子植物采用哈钦松分类系统。少数类群根据最新研究成果稍作调整；属、种按拉丁学名的字母顺序排列。

（3）本书下篇各品种按照其科名及属名、物种名、药材名、形态特征、生境分布、资源情况、采收加工、药材性状、功能主治、用法用量、凭证标本号、附注依次著述，资料不全者项目从略。

1）科名及属名。该项包括科、属的中文名和拉丁学名。

2）物种名。该项包括中文名和拉丁学名。

3）药材名。该项介绍药用部位及药材的别名。未查到药材别名的则内容从略。

4）形态特征。该项简要介绍物种的形态。

5）生境分布。该项介绍物种的生存环境及其在广东省的分布区域，栽培品种则介绍其主产地及道地产区。分布中的地级市专指其城区范围，不涵盖其管辖的县域范围，正文中采用"地级市（市区）"的形式表示，如"茂名（市区）"。

6）资源情况。该项介绍物种的蕴藏量情况，野生资源以丰富、较丰富、一般、较少、稀少表示，并说明药材来源于栽培资源还是野生资源。

7）采收加工。该项简要介绍药材的采收时间、采收方式及加工方法。

8）药材性状。该项主要介绍药材的性状特征。对于民间习用的鲜草药或冷背药材，则此项内容从略。

9）功能主治。该项介绍药材的味、性、毒性、归经、功能和主治。

10）用法用量。该项介绍药材的使用方法及用量范围。

11）凭证标本号。该项为第四次全国中药资源普查收载的物种标本号或补充收录物种的馆藏标本号。依据文献记载补充的经确认广东省已有、普查未收录的物种同时附上中国科学院华南植物园标本馆（IBSC）、深圳市中国科学院仙湖植物园植物标本馆（SZG）、广东省韩山师范学院植物标本室（CZH）等的标本号。补充收录的动物和矿物药用资源的标本号引用《广东中药志》《广东省中药材标准》《中国药用动物志》等文献的记录；菌类药用资源的标本号引用广东省科学院微生物研究所标本馆（GDGM）的标本号。

12）附注。该项简述物种的品种情况、民间使用情况、资源利用情况等内容。

目录 Contents

被子植物

土牛膝 *Achyranthes aspera* L.

| 药 材 名 | 土牛膝（药用部位：全草。别名：倒叶草、倒刺草、倒钩草）。

| 形态特征 | 草本。叶宽卵状倒卵形或椭圆状长圆形，长 1.5 ~ 7 cm，宽 0.4 ~ 4 cm。穗状花序顶生，直立，长 10 ~ 30 cm，花期后反折；苞片披针形，长 3 ~ 4 mm，先端长渐尖，小苞片刺状，长 2.5 ~ 4.5 mm，坚硬，光亮，常带紫色，基部两侧各有 1 薄膜质翅；花被片披针形，长 3.5 ~ 5 mm，长渐尖，花后变硬且锐尖，具 1 脉；雄蕊长 2.5 ~ 3.5 mm；退化雄蕊先端截状或细圆齿状，具分枝、流苏状长缘毛。胞果卵形，长 2.5 ~ 3 mm。花期 6 ~ 8 月，果期 10 月。

| 生境分布 | 生于低海拔山谷、村边、路旁及旷地。广东各地均有分布。

| 资源情况 | 野生资源较丰富。药材主要来源于野生。

| 采收加工 | 夏、秋季采收，晒干。

| 功能主治 | 微苦，凉。通经利尿，清热解毒。用于感冒发热，扁桃体炎，白喉，流行性腮腺炎，疟疾，风湿性关节炎，尿路结石，肾炎性水肿。

| 用法用量 | 内服煎汤，15 ～ 30 g。

| 凭证标本号 | 445224191004010LY。

苋科 Amaranthaceae 牛膝属 Achyranthes

牛膝 *Achyranthes bidentata* Bl.

| 药 材 名 | 牛膝（药用部位：根。别名：怀牛膝、牛髁膝）。

| 形态特征 | 草本。叶椭圆形或椭圆状披针形，少数倒披针形，长 4.5 ～ 12 cm，宽 2 ～ 7.5 cm。穗状花序顶生及腋生，长 3 ～ 5 cm，花期后反折；苞片宽卵形，长 2 ～ 3 mm，先端长渐尖；小苞片刺状，长 2.5 ～ 3 mm，先端弯曲，基部两侧各有 1 卵形膜质小裂片，长约 1 mm；花被片披针形，长 3 ～ 5 mm；雄蕊长 2 ～ 2.5 mm。胞果长圆形，长 2 ～ 2.5 mm，黄褐色，光滑。花期 7 ～ 9 月，果期 9 ～ 10 月。

| 生境分布 | 生于海拔 1 500 m 以下的山谷、溪边或湿润的林下。广东各地均有分布。

| **资源情况** | 野生资源较少。药材主要来源于野生。

| **采收加工** | 夏、秋季采挖，晒干。

| **功能主治** | 苦、酸，平。散瘀血，消痈肿，补肝肾，强筋骨。用于咽喉肿痛，高血压，闭经，胞衣不下，痈肿，跌打损伤，肝肾不足，腰膝酸痛，四肢不利，风湿痹痛。

| **用法用量** | 内服煎汤，4.5 ~ 9 g。孕妇忌用。制剂不宜静脉注射。

| **凭证标本号** | 441825190803012LY。

苋科 Amaranthaceae 牛膝属 Achyranthes

柳叶牛膝

Achyranthes longifolia (Makino) Makino

药 材 名

柳叶牛膝（药用部位：根。别名：长叶牛膝、杜牛膝、白牛膝）。

形态特征

草本。叶披针形或宽披针形，长10～20 cm，宽2～5 cm。穗状花序顶生及腋生，长3～5 cm，花期后反折；苞片宽卵形，长2～3 mm，先端长渐尖；小苞片针状，长3.5 mm，基部有2耳状薄片，仅有缘毛；花被片披针形，长3～5 mm，光亮，先端急尖，有1中脉；雄蕊长2～2.5 mm；退化雄蕊方形，先端有不明显的齿。胞果长圆形，长2～2.5 mm，黄褐色，光滑；种子长圆形，长1 mm，黄褐色。花果期9～11月。

生境分布

生于路旁、村边旷野。分布于广东乐昌、乳源、连州、连山、连南、南雄、始兴、仁化、英德、阳山、翁源、新丰、连平、和平、龙门、高要、新兴、怀集。

资源情况

野生资源较少。药材主要来源于野生。

| 采收加工 | 夏、秋季采挖，晒干。

| 功能主治 | 苦，平。破血行瘀，补肝肾，强腰膝。用于闭经，尿血，淋病，痈肿，难产，肝肾亏虚，腰膝酸痛。

| 用法用量 | 内服煎汤，9 ~ 15 g。

| 凭证标本号 | 440224181114015LY。

苋科 Amaranthaceae 莲子草属 Alternanthera

红草

Alternanthera bettzickiana (Regel) G. Nicholson

| 药 材 名 | 红草（药用部位：全草。别名：锦绣苋、红绿草）。

| 形态特征 | 草本。叶长圆形、长圆状倒卵形或匙形，长1~6 cm，宽0.5~2 cm。头状花序顶生及腋生，2~5丛生，长5~10 mm；花被片卵状长圆形，白色，外面2长3~4 mm，凹形；雄蕊5，花丝长1~2 mm，花药条形，其中1~2较短且不育；退化雄蕊带状，高达花药的中部或顶部，先端裂成3~5极窄条；子房无毛，花柱长约0.5 mm。花期8~9月。

| 生 境 分 布 | 广东无野生分布。广东各地均有零星栽培。

资源情况	有少量栽培。药材主要来源于栽培。
采收加工	夏、秋季采收，晒干。
功能主治	清肝明目，凉血止血。用于结膜炎，便血，痢疾。
用法用量	内服煎汤，9 ~ 15 g。
凭证标本号	叶育石 5462。

苋科 Amaranthaceae 莲子草属 Alternanthera

喜旱莲子草
Alternanthera philoxeroides (Mart.) Griseb.

| 药 材 名 | 喜旱莲子草 (药用部位: 全草。别名: 空心菜、空心莲子草、水花生)。

| 形态特征 | 草本。叶长圆形、长圆状倒卵形或倒卵状披针形, 长 2.5 ～ 5 cm, 宽 7 ～ 20 mm。花密生, 成具总花梗的头状花序, 单生于叶腋, 球形, 直径 8 ～ 15 mm; 花被片矩圆形, 长 5 ～ 6 mm, 白色, 光亮, 无毛, 先端急尖, 背部侧扁; 雄蕊花丝长 2.5 ～ 3 mm, 基部连合成杯状; 退化雄蕊矩圆状条形, 和雄蕊约等长, 先端裂成窄条; 子房倒卵形, 具短柄, 背面侧扁, 先端圆形。花期 5 ～ 10 月。

| 生境分布 | 生于塘边、水沟边或沼泽地上。广东各地均有分布。

| 资源情况 | 野生资源较丰富。药材主要来源于野生。

采收加工	夏、秋季采收，晒干。
功能主治	苦、甘，寒。清热利尿，凉血解毒。用于流行性乙型脑炎，流行性感冒初期，肺结核咯血；外用于湿疹，带状疱疹，疔疮，毒蛇咬伤，流行性出血性结膜炎。
用法用量	内服煎汤，15 ~ 30 g。外用适量，鲜品取汁外涂；或捣烂调蜜糖敷。
凭证标本号	440783190714007LY。

苋科 Amaranthaceae 莲子草属 Alternanthera

刺花莲子草

Alternanthera pungens Kunth

| 药 材 名 | 刺花莲子草（药用部位：全草）。

| 形态特征 | 草本。叶卵形、倒卵形或椭圆状倒卵形，长 1.5 ～ 4.5 cm，宽 5 ～ 15 mm。花密生，成无总花梗的头状花序，1 ～ 3 生于叶腋，球形，直径 5 ～ 10 mm；花被片披针形，长 5 mm，白色，近基部被丛毛，中脉伸出成锐刺；雄蕊 5，花丝长不及 1 mm，基部连合成杯状；退化雄蕊比花丝短；子房倒卵形。胞果宽椭圆形，长 1 ～ 1.5 mm。花期 5 ～ 10 月。

| 生境分布 | 生于路旁阳地上。分布于广东斗门及中山（市区）、广州（市区）。

| 资源情况 | 野生资源较少。药材主要来源于野生。

| **采收加工** | 夏、秋季采收，晒干。

| **功能主治** | 清热解毒。用于小便不利，淋病。

| **用法用量** | 内服煎汤，15 ～ 30 g。

| **凭证标本号** | 440882180602007LY。

苋科 Amaranthaceae 莲子草属 Alternanthera

虾蚶菜

Alternanthera sessilis (L.) R. Brown ex DC. [*Alternanthera nodiflora* R. Br.]

| 药 材 名 | 虾蚶菜（药用部位：全草。别名：小白花草、莲子草）。

| 形态特征 | 草本。叶形状及大小有变化，条状披针形、长圆形、倒卵形或卵状长圆形。头状花序 1 ~ 4，腋生，无总花梗；花被片卵形，长 2 ~ 3 mm，白色，先端渐尖或急尖，无毛，具 1 脉；雄蕊 3；花柱极短，柱头短裂。胞果倒心形，长 2 ~ 2.5 mm，侧扁，翅状，深棕色，包于宿存花被片内。花期 5 ~ 7 月，果期 7 ~ 9 月。

| 生境分布 | 生于田边、路旁、荒地。广东各地均有分布。

| 资源情况 | 野生资源较丰富。药材主要来源于野生。

| **采收加工** | 夏、秋季采收，晒干。

| **功能主治** | 微甘、淡，凉。清热凉血，利水消肿，拔毒止痒。用于痢疾，鼻衄，咯血，便血，尿道炎，咽炎，乳腺炎，小便不利；外用于疮疖肿毒，湿疹，皮炎，体癣，毒蛇咬伤。

| **用法用量** | 内服煎汤，15 ~ 30 g；或绞汁炖温服，鲜品 60 ~ 120 g。外用适量，鲜品捣敷；或煎浓汁洗。

| **凭证标本号** | 445224201007016LY。

苋科 Amaranthaceae 苋属 Amaranthus

凹头苋
Amaranthus blitum L. [*Amaranthus lividus* L.]

| 药 材 名 | 凹头苋（药用部位：全草。别名：野苋）。

| 形态特征 | 草本。叶卵形或菱状卵形，长 1.5 ~ 4.5 cm，宽 1 ~ 3 cm，先端凹缺，有 1 芒尖。花成腋生及顶生，生在茎端和枝端者成直立穗状花序或圆锥花序；花被片长圆形或披针形，长 1.2 ~ 1.5 mm，淡绿色，先端急尖，边缘内曲，背部有 1 隆起中脉。胞果扁卵形，长 3 mm，不裂，微皱缩而近平滑，超出宿存花被片；种子环形，直径约 12 mm，黑色至黑褐色，边缘环状。花期 7 ~ 8 月，果期 8 ~ 9 月。

| 生境分布 | 生于村边、路旁等荒地上。分布于广东乐昌、乳源、连州、连山、连南、仁化、始兴、翁源、新丰、连平、和平、龙门、阳春。

| 资源情况 | 野生资源较少。药材主要来源于野生。

| 采收加工 | 夏、秋季采收，晒干。

| 功能主治 | 微甘、淡，凉。清热解毒，利尿消肿。用于痢疾，腹泻，疔疮肿毒，毒蛇咬伤，蜂蜇伤，小便不利。

| 用法用量 | 内服煎汤，9～30 g。外用适量，鲜品捣敷。

| 凭证标本号 | 441823210410028LY。

苋科 Amaranthaceae 苋属 *Amaranthus*

尾穗苋
Amaranthus caudatus L.

药材名

尾穗苋（药用部位：全草。别名：老枪谷）。

形态特征

草本。叶菱状卵形或菱状披针形，长 4 ~ 15 cm，宽 2 ~ 8 cm。圆锥花序顶生，下垂，有多数分枝；花被片长 2 ~ 2.5 mm，红色，透明，先端具凸尖，边缘互压，有 1 中脉，雄花的花被片长圆形，雌花的花被片长圆状披针形；雄蕊稍超出；柱头 3，长不及 1 mm。胞果近球形，直径 3 mm，上半部红色，超出花被片；种子近球形，直径 1 mm，淡棕黄色，有厚的环。花期 7 ~ 8 月，果期 9 ~ 10 月。

生境分布

广东各地广泛栽培或逸为野生。

资源情况

野生资源较少。主要为栽培。药材主要来源于栽培。

采收加工

夏、秋季采收，晒干。

| **功能主治** | 甘，平。益气健脾，补虚强壮。用于脾胃虚弱之倦怠乏力，食欲不振，小儿疳积。

| **用法用量** | 内服煎汤，10 ~ 30 g。

| **凭证标本号** | 441622200909062LY。

苋科 Amaranthaceae 苋属 *Amaranthus*

绿穗苋 *Amaranthus hybridus* L.

| 药 材 名 |

绿穗苋（药用部位：全草。别名：繁穗苋）。

| 形态特征 |

草本。叶卵形或菱状卵形，长 3 ~ 4.5 cm，宽 1 ~ 2.5 cm；叶柄长 1 ~ 2.5 cm。圆锥花序顶生；花被片钻状披针形，长 3 ~ 4 mm，中脉坚硬，具凸尖。胞果卵形，长 2 mm，环状横裂，超出宿存花被片；种子近球形，直径约 1 mm，黑色。花果期 7 ~ 11 月。

| 生境分布 |

广东各地均有栽培或逸为野生。

| 资源情况 |

野生资源较少。主要为栽培。药材主要来源于栽培。

| 采收加工 |

夏、秋季采收，鲜用。

| 功能主治 |

淡、甘，凉。清热解毒，利湿止痒。外用于皮肤湿疹，疖肿脓疡。

| 用法用量 | 外用适量，鲜品捣敷。

| 凭证标本号 | 440224181203017LY。

苋科 Amaranthaceae 苋属 Amaranthus

刺苋
Amaranthus spinosus L.

| 药 材 名 | 刺苋（药用部位：全草。别名：筋苋菜、刺苋菜）。

| 形态特征 | 草本。叶菱状卵形或卵状披针形，长 3 ～ 12 cm，宽 1 ～ 5.5 cm；叶柄基部有 2 刺。圆锥花序腋生及顶生；花被片绿色，先端急尖，具凸尖，边缘透明，中脉绿色或带紫色，在雄花者长圆形，长 2 ～ 2.5 mm，在雌花者长圆状匙形。胞果长圆形，长 1 ～ 1.2 mm，中部以下不规则横裂，包裹在宿存花被片内；种子近球形，直径约 1 mm，黑色或带棕黑色。花果期 7 ～ 11 月。

| 生境分布 | 生于村边、路旁、荒地上。广东各地均有分布。

| 资源情况 | 野生资源较丰富。药材主要来源于野生。

| 采收加工 | 夏、秋季采收，晒干。

| 功能主治 | 淡、甘，凉。清热利湿，解毒消肿，凉血止血。用于痢疾，肠炎，复合性胃和十二指肠溃疡出血，痔疮便血；外用于毒蛇咬伤，皮肤湿疹，疖肿脓疡。

| 用法用量 | 内服煎汤，30 ~ 60 g。外用适量，鲜品捣敷。

| 凭证标本号 | 441523200108001LY。

苋科 Amaranthaceae 苋属 Amaranthus

苋菜 *Amaranthus tricolor* L.

| 药 材 名 | 苋菜（药用部位：全草。别名：老少年、老来少、三色苋）。

| 形态特征 | 草本。叶卵形、菱状卵形或披针形。花簇腋生，直到下部叶，或同时具顶生花簇，组成下垂的穗状花序；花簇球形，直径 5 ~ 15 mm，雄花和雌花混生；花被片长圆形，长 3 ~ 4 mm；雄蕊比花被片长或短。胞果卵状长圆形，长 2 ~ 2.5 mm，环状横裂，包裹在宿存花被片内；种子近圆形或倒卵形，直径约 1 mm，黑色或黑棕色，边缘钝。花期 5 ~ 8 月，果期 7 ~ 9 月。

| 生境分布 | 广东无野生分布。广东各地均有栽培。

| 资源情况 | 常见栽培。药材主要来源于栽培。

| **采收加工** | 夏、秋季采收，晒干。

| **功能主治** | 甘，微寒。解毒，祛寒湿，利二便。用于赤白痢，痔疮，疔疮肿毒。

| **用法用量** | 内服煎汤，30 ~ 60 g。外用适量，鲜品捣敷。

| **凭证标本号** | 445224201007012LY。

苋科 Amaranthaceae 苋属 Amaranthus

皱果苋 *Amaranthus viridis* L.

| 药 材 名 | 皱果苋（药用部位：全草。别名：绿苋、野苋）。

| 形态特征 | 草本。叶卵形、卵状长圆形或卵状椭圆形。圆锥花序顶生，长6 ~ 12 cm，宽 1.5 ~ 3 cm，有分枝，由穗状花序形成，圆柱形，细长，直立，顶生花穗比侧生花穗长；花被片长圆形或宽倒披针形，长 1.2 ~ 1.5 mm，内曲，先端急尖。胞果扁球形，直径约 2 mm，绿色，不裂，极皱缩，超出花被片；种子近球形，直径约 1 mm，黑色或黑褐色，具薄且锐的环状边缘。花期 6 ~ 8 月，果期 8 ~ 10 月。

| 生境分布 | 生于村边、路旁、荒地。广东各地均有分布。

| 资源情况 | 野生资源较丰富。药材主要来源于野生。

采收加工	夏、秋季采收，晒干。
功能主治	甘、淡，微寒。清热利湿。用于细菌性痢疾，肠炎，乳腺炎，痔疮肿痛。
用法用量	内服煎汤，30 ~ 60 g。
凭证标本号	445224190726002LY。

苋科 Amaranthaceae 青葙属 Celosia

青葙
Celosia argentea L.

| 药 材 名 | 青葙子（药用部位：种子）。

| 形态特征 | 草本。叶互生，薄纸质，披针形至长圆状披针形，长 5 ～ 11 cm，先端长渐尖或渐尖，基部渐狭。花两性，白色或淡红色，组成顶生、密花的穗状花序；苞片长卵形至披针形，长达 5 mm，宿存；萼片长圆状披针形，长达 7 mm；雄蕊 5，花药 4 室。胞果具宿存花柱，成熟时盖裂；种子多数，扁圆形，直径约 1.5 mm，黑色，有光泽。花期 5 ～ 8 月，果期 6 ～ 10 月。

| 生境分布 | 生于旷野、田边、村旁。广东各地均有分布。

| 资源情况 | 野生资源较丰富。药材主要来源于野生。

| 采收加工 | 秋季果实成熟时采割植株或摘取果穗，晒干，收集种子。

| 药材性状 | 本品呈扁圆形，少数呈圆肾形，边缘稍薄，直径 1 ~ 1.5 mm，黑色或棕黑色，有光泽，中间微隆起，侧边微凹处有种脐；种皮薄而脆。无臭，无味。以颗粒饱满、色黑、光亮者为佳。

| 功能主治 | 苦，微寒。祛风明目，清肝火。用于目赤肿痛，视物不清，哮喘，胃肠炎。

| 用法用量 | 内服煎汤，3 ~ 9 g。

| 凭证标本号 | 440783190718019LY。

苋科 Amaranthaceae 青葙属 Celosia

鸡冠花 Celosia cristata L.

| 药材名 | 鸡冠花（药用部位：花序、种子）。

| 形态特征 | 草本。叶互生，卵形、卵状披针形或披针形。花多数，极密生，组成扁平肉质鸡冠状、卷冠状或羽毛状的穗状花序，1 大花序下面有数个较小的分枝，圆锥状长圆形，表面羽毛状；花被片红色、紫色、黄色、橙色或红黄色相间；萼片长披针形，长约 5 mm，其余的花不育，萼片变小，且与花序同色。胞果卵形，长约 3 mm；种子多数，扁球形，直径约 1.5 mm，黑色，有光泽。花果期 7～9 月。

| 生境分布 | 广东无野生分布。广东各地均有栽培。

| 资源情况 | 常见栽培。药材主要来源于栽培。

| **采收加工** | 夏、秋季采收，晒干。 |

| **功能主治** | 花序，甘，凉。凉血止血，止带，止痢。用于功能失调性子宫出血，带下。种子，甘，寒。祛风明目，清肝火。用于目赤肿痛，视物不清，哮喘，胃肠炎，赤白带下。 |

| **用法用量** | 内服煎汤，3 ～ 9 g。 |

| **凭证标本号** | 叶华谷 6056。 |

苋科 Amaranthaceae 杯苋属 Cyathula

杯苋 *Cyathula prostrata* (L.) Bl.

| 药 材 名 | 杯苋（药用部位：全草）。

| 形态特征 | 草本。叶菱状倒卵形或菱状长圆形。总状花序；两性花的花被片卵状长圆形，长 2 ~ 3 mm，淡绿色，先端渐尖，具凸尖，外面有白色长柔毛，内面无毛，具 3 ~ 5 脉；雄蕊花丝长 3 ~ 4 mm，基部连合部分仅长 1 mm；退化雄蕊长方形，长 0.5 mm，先端截形，具 2 浅裂或凹缺。胞果球形，直径约 0.5 mm，无毛，带绿色；种子卵状长圆形，极小，褐色，光亮。花果期 6 ~ 11 月。

| 生境分布 | 生于山谷或山坡林下背阴处。分布于广东大埔、博罗、潮安、普宁、台山、斗门、高要、阳春、封开、徐闻、雷州及广州（市区）、云浮（市区）、深圳（市区）、茂名（市区）。

| 资源情况 | 野生资源较丰富。药材主要来源于野生。

| 采收加工 | 夏、秋季采收，晒干。

| 功能主治 | 甘、淡，平。行气除痰，清热利湿，化积。用于小儿疳积，肺结核，瘰疬大热，毒蛇咬伤。

| 用法用量 | 内服煎汤，3 ~ 9 g。

| 凭证标本号 | 440783191103021LY。

苋科 Amaranthaceae 千日红属 Gomphrena

银花苋
Gomphrena celosioides Mart.

| 药 材 名 | 银花苋（药用部位：全草。别名：地锦草）。

| 形态特征 | 草本。叶长椭圆形或近匙形。头状花序顶生，初球形，后呈椭圆形，长 2 ~ 2.5 cm，总花梗短或近无；花被片披针形，长 5 ~ 6 mm，外面密被白色长柔毛，花期后变硬，薄革质，白色；雄蕊花丝连合成管状，稍短于花萼，离生部分长约 1 mm，具缺口，花药丝形；花柱短，柱头 2 裂。胞果近椭圆形，果皮薄膜质。花果期 2 ~ 10 月。

| 生境分布 | 逸生于铁路及公路沿线的草地和河堤草坡。分布于广东博罗、饶平、南澳岛、高要、廉江、遂溪及湛江（市区）、广州（市区）、深圳（市区）。

| 资源情况 | 野生资源较丰富。药材主要来源于野生。

| 采收加工 | 夏、秋季采收，晒干。 |

| 功能主治 | 甘、淡，凉。清热利湿，凉血止血。用于痢疾。 |

| 用法用量 | 内服煎汤，30 ~ 120 g。 |

| 凭证标本号 | 445224190728023LY。 |

苋科 Amaranthaceae 千日红属 Gomphrena

千日红 *Gomphrena globosa* L.

| **药 材 名** | 千日红（药用部位：花序。别名：百日红、千日白）。 |

| **形态特征** | 草本。叶长椭圆形或长圆状倒卵形，长 3.5 ~ 13 cm，宽 1.5 ~ 5 cm。花多数，密生，成顶生球形或长圆形头状花序，单一或 2 ~ 3，直径 2 ~ 2.5 cm，常紫红色，有时淡紫色或白色。胞果近球形，直径 2 ~ 2.5 mm；种子肾形，棕色，光亮。花果期 6 ~ 9 月。 |

| **生境分布** | 广东各地均有栽培或逸为野生。 |

| **资源情况** | 常见栽培。药材主要来源于栽培。 |

| **采收加工** | 夏、秋季花开时采收，晒干。 |

| **功能主治** | 甘、淡，平。止咳平喘，平肝明目。用于哮喘，痢疾，月经不调，跌打损伤，疮疖，慢性支气管炎，小儿发热抽搐，癫痫，目赤肿痛。 |

| **用法用量** | 内服煎汤，5 ～ 10 g。 |

| **凭证标本号** | 440605210227005LY。 |

苋科 Amaranthaceae 血苋属 Iresine

血苋

Iresine herbstii Hook. f. ex Lindl.

药 材 名	血苋（药用部位：全草。别名：红洋苋）。
形态特征	草本。叶宽卵形至近圆形，直径 2 ~ 6 cm，先端凹缺或 2 浅裂，紫红色。雌雄异株，花呈顶生及腋生圆锥花序，由多数穗状花序形成，初有柔毛，后几无毛；花微小，长约 1 mm，有极短花梗；雌花花被片长圆形，长约 1 mm，绿白色或黄白色，外面基部疏生白色柔毛；不育雄蕊微小；子房球形，侧扁，花柱极短。雄花及果实未见。花果期 9 月至翌年 3 月。
生境分布	广东无野生分布。广东广州（市区）、深圳（市区）、珠海（市区）、中山（市区）有栽培。
资源情况	有少量栽培。药材主要来源于栽培。

| 采收加工 | 夏、秋季采收，晒干。 |

| 功能主治 | 微苦，凉。清热解毒，调经止血。用于细菌性痢疾，肠炎，痛经，月经不调，血崩，吐血，衄血，便血。 |

| 用法用量 | 内服煎汤，20 ~ 30 g。 |

| 凭证标本号 | 石国良 13374。 |

落葵科 Basellaceae 落葵薯属 Anredera

心叶落葵薯 *Anredera cordifolia* (Tenore) Steen.

| 药 材 名 | 心叶落葵薯（药用部位：全株。别名：落葵薯）。

| 形态特征 | 缠绕藤本。叶卵形至近圆形，长 2 ~ 6 cm，宽 1.5 ~ 5.5 cm，有腋生小块茎（珠芽）。总状花序；花直径约 5 mm；花被片白色，渐变黑，花开时张开，卵形、长圆形至椭圆形，先端钝圆，长约 3 mm，宽约 2 mm；雄蕊白色，花丝先端在芽中反折，开花时伸出花外；花柱白色，分裂成 3 柱头臂，每臂具 1 棍棒状或宽椭圆形柱头。果实、种子未见。花期 6 ~ 10 月。

| 生境分布 | 广东各地均有栽培或逸为野生。

| 资源情况 | 常见栽培。药材主要来源于栽培。

| 采收加工 | 夏、秋季采收，晒干。 |

| 功能主治 | 微苦，温。滋补强壮，祛风除湿，活血祛瘀，消肿止痛。用于腰膝痹痛，病后体虚，跌打损伤，骨折。 |

| 用法用量 | 内服煎汤，30 ~ 50 g。外用适量，鲜品捣敷。 |

| 凭证标本号 | 441823200707034LY。 |

落葵 *Basella alba* L.

药材名

落葵（药用部位：全株。别名：潺菜）。

形态特征

草质藤本。叶卵形或近圆形，长 3 ~ 9 cm，宽 2 ~ 8 cm。穗状花序腋生；小苞片 2，萼状，长圆形，宿存；花被片淡红色或淡紫色，卵状长圆形，全缘，先端钝圆，内折，下部白色，连合成筒；雄蕊着生于花被筒口，花丝短，基部扁宽，白色，花药淡黄色；柱头椭圆形。果实球形，直径 5 ~ 6 mm，红色至深红色或黑色，多汁液，外包宿存小苞片及花被。花期 5 ~ 9 月，果期 7 ~ 10 月。

生境分布

广东无野生分布。广东各地均有栽培。

资源情况

常见栽培。药材主要来源于栽培。

采收加工

夏、秋季采收，晒干。

功能主治

甘、淡，凉。清热解毒，接骨止痛。用于阑

尾炎，痢疾，大便秘结，膀胱炎；外用于骨折，跌打损伤，外伤出血，烫火伤。

| **用法用量** | 内服煎汤，30～60 g。外用适量，捣敷。

| **凭证标本号** | 440781190515049LY。

亚麻科 Linaceae 亚麻属 Linum

亚麻 *Linum usitatissimum* L.

| 药 材 名 |

亚麻（药用部位：根、叶。别名：鸦麻、壁虱胡麻、山西胡麻）。

| 形态特征 |

草本。叶线形、线状披针形或披针形，长 2 ~ 4 cm，宽 1 ~ 5 mm，先端锐尖，基部渐狭，无柄。花单生于枝顶或枝的上部叶腋，组成疏散的聚伞花序；萼片 5，卵形或卵状披针形；花瓣 5，倒卵形。蒴果球形，干后棕黄色，直径 6 ~ 9 mm，先端微尖，室间开裂成 5 瓣；种子 10，长圆形，扁平，长 3.5 ~ 4 mm，棕褐色。花期 6 ~ 8 月，果期 7 ~ 10 月。

| 生境分布 |

广东无野生分布。广东西北部有栽培。

| 资源情况 |

有少量栽培。药材主要来源于栽培。

| 采收加工 |

夏、秋季采收，晒干。

| **功能主治** | 辛、甘，平。散风平肝，活血止痛。用于肝风头痛，跌打损伤，疔疮疖肿。

| **用法用量** | 内服煎汤，15 ～ 30 g。外用适量，鲜品捣敷。

| **凭证标本号** | 陈焕镛 8210。

蒺藜科 Zygophyllaceae 蒺藜属 Tribulus

蒺藜 *Tribulus terrestris* L.

| **药 材 名** | 蒺藜（药用部位：全草。别名：刺蒺藜、白蒺藜、硬蒺藜）。

| **形态特征** | 草本。茎平卧。偶数羽状复叶；小叶 3 ~ 8 对，长圆形或斜短圆形。花腋生，花梗短于叶，花黄色；萼片 5，宿存；花瓣 5；雄蕊 10，生于花盘基部，基部有鳞片状腺体；子房具 5 棱，柱头 5 裂，每室有 3 ~ 4 胚珠。果实有分果瓣 5，质硬，长 4 ~ 6 mm，无毛或被毛，中部边缘有锐刺 2，下部常有小锐刺 2，其余部位常有小瘤体。花期 5 ~ 8 月，果期 6 ~ 9 月。

| **生境分布** | 生于海边沙滩或潮湿的砂质草地。分布于广东广州（市区）以南至雷州半岛各地。

| 资源情况 | 野生资源较丰富。药材主要来源于野生。 |

| 采收加工 | 夏、秋季采收，晒干。 |

| 功能主治 | 苦、辛，温。平肝明目，祛风止痒。用于头晕，头痛，目赤多泪，气管炎，高血压，皮肤瘙痒，风疹。 |

| 用法用量 | 内服煎汤，6 ~ 12 g。 |

| 凭证标本号 | 440825150903005LY。 |

牻牛儿苗科 Geraniaceae 老鹳草属 Geranium

野老鹳草 *Geranium carolinianum* L.

| 药 材 名 | 野老鹳草（药用部位：全草。别名：老鹳草）。

| 形态特征 | 草本。叶圆肾形，长 2 ~ 3 cm，宽 4 ~ 6 cm。花序呈伞状；萼片长卵形或近椭圆形；花瓣淡紫红色，倒卵形，稍长于萼，先端圆形，基部宽楔形；雄蕊稍短于萼片，中部以下被长糙柔毛；雌蕊稍长于雄蕊，密被糙柔毛。蒴果长约 2 cm，被短糙毛，果瓣由喙上部先裂、向下卷曲。花期 4 ~ 7 月，果期 5 ~ 9 月。

| 生境分布 | 生于平原和低山荒坡杂草丛。分布于广东乐昌、乳源、连州。

| 资源情况 | 野生资源较少。药材主要来源于野生。

| 采收加工 | 夏、秋季采收，晒干。 |

| 功能主治 | 苦，平。祛风，活血，清热解毒。用于风湿疼痛，拘挛麻木，痈疽，跌打损伤，肠炎，痢疾。 |

| 用法用量 | 内服煎汤，6～15 g。 |

| 凭证标本号 | 440224190315004LY。 |

牻牛儿苗科 Geraniaceae 天竺葵属 Pelargonium

香叶天竺葵 *Pelargonium graveolens* L'Hér.

| 药 材 名 |

香叶天竺葵（药用部位：茎、叶。别名：驱蚊香草、驱蚊草、香艾）。

| 形态特征 |

亚灌木。叶近圆形，基部心形，直径2～10 cm，掌状5～7裂达中部或近基部，裂片矩圆形或披针形。伞形花序；萼片长卵形，绿色，长6～9 mm，宽2～3 mm，先端急尖，距长4～9 mm；花瓣玫瑰色或粉红色，长为萼片的2倍，先端钝圆，上面2较大；雄蕊与萼片近等长，下部扩展；心皮被茸毛。蒴果长约2 cm，被柔毛。花期5～7月，果期8～9月。

| 生境分布 |

广东无野生分布。广东斗门及广州（市区）、深圳（市区）有栽培。

| 资源情况 |

有少量栽培。药材主要来源于栽培。

| 采收加工 |

夏、秋季采收，晒干。

| **功能主治** | 辛，温。祛风除湿，行气止痛，杀虫。用于风湿痹痛，疝气，阴囊湿疹，疥癣。

| **用法用量** | 内服煎汤，9 ~ 15 g。外用适量，鲜品捣敷。

| **凭证标本号** | 陈少卿 7278。

牻牛儿苗科 Geraniaceae 天竺葵属 Pelargonium

天竺葵

Pelargonium hortorum L. H. Bailey

|药材名|

天竺葵（药用部位：花。别名：洋绣球、石腊红、入腊红）。

|形态特征|

亚灌木。叶圆形或肾形，基部心形，直径 3 ~ 7 cm，边缘波状浅裂。伞形花序；萼片狭披针形，长 8 ~ 10 mm，外面密被腺毛和长柔毛；花瓣红色、橙红色、粉红色或白色，宽倒卵形，长 12 ~ 15 mm，宽 6 ~ 8 mm，先端圆形，基部具短爪，下面 3 通常较大；子房密被短柔毛。蒴果长约 3 cm，被柔毛。花期 5 ~ 7 月，果期 6 ~ 9 月。

|生境分布|

广东无野生分布。广东斗门及广州（市区）、深圳（市区）有栽培。

|资源情况|

有少量栽培。药材主要来源于栽培。

|采收加工|

春、夏季采收，鲜用。

| 功能主治 | 苦、涩，凉。清热消炎。外用于中耳炎。

| 用法用量 | 外用适量，鲜品榨汁滴耳。

| 凭证标本号 | 石国良 12209。

酢浆草科 Oxalidaceae 阳桃属 Averrhoa

三敛
Averrhoa bilimbi L.

| 药 材 名 | 三敛（药用部位：果实、叶）。

| 形态特征 | 小乔木。叶聚生于枝顶，小叶 10 ~ 20 对；小叶片长圆形，长 3 ~ 5 cm，宽约 2 cm，先端渐尖，基部圆形，多少偏斜，两面多少被毛，全缘；叶柄长 2 ~ 4 mm，被柔毛。圆锥花序生于分枝或树干上；萼片长 4 mm，卵状披针形，急尖，被柔毛；花瓣长圆状匙形，长于萼片 2 倍以上。果实长圆形，具钝棱。花期 4 ~ 12 月，果期 7 ~ 12 月。

| 生境分布 | 广东无野生分布。广东广州（市区）、湛江（市区）有栽培。

| 资源情况 | 有少量栽培。药材主要来源于栽培。

| **采收加工** | 全年均可采收，鲜用。

| **功能主治** | 酸，平。止渴，化痰，开胃。用于头痛，腹痛，感冒，皮肤病。

| **用法用量** | 内服煎汤，30 ～ 50 g。

酢浆草科 Oxalidaceae 阳桃属 Averrhoa

阳桃

Averrhoa carambola L.

| 药 材 名 | 阳桃（药用部位：根、枝、叶、花、果实。别名：洋桃、五稔、五棱果）。

| 形态特征 | 乔木。奇数羽状复叶，小叶 5 ~ 13，卵形或椭圆形。花小，组成聚伞花序或圆锥花序，自叶腋出或着生于枝干上，花枝和花蕾深红色。浆果肉质，下垂，有 5 棱，很少 3 或 6 棱，横切面呈星芒状，长 5 ~ 8 cm，淡绿色或蜡黄色，有时带暗红色；种子黑褐色。花期 4 ~ 12 月，果期 7 ~ 12 月。

| 生境分布 | 广东无野生分布。广东各地均有栽培。

| 资源情况 | 常见栽培。药材主要来源于栽培。

| 采收加工 | 根、枝、叶，夏、秋季采收，晒干；花、果实，秋、冬季采收，晒干。

| 功能主治 | 根，酸、涩，平。涩精，止血，止痛。用于遗精，鼻衄，慢性头痛，关节疼痛。枝、叶，酸、涩，凉。祛风利湿，消肿止痛。用于风热感冒，急性胃肠炎，小便不利，产后浮肿，跌打肿痛，痈疽肿毒。花，甘，平。清热。用于寒热往来。果实，酸、苦，平。生津止渴。用于风热咳嗽，咽喉痛，疟母。

| 用法用量 | 内服煎汤，15 ~ 30 g。

| 凭证标本号 | 440781190826031LY。

酢浆草科 Oxalidaceae 酢浆草属 Oxalis

山酢浆草 *Oxalis acetosella* L. subsp. *griffithii* (Edg. et Hook. f.) Hara

| **药 材 名** | 山酢浆草（药用部位：全草。别名：三块瓦、麦子七、大酸梅草）。

| **形态特征** | 草本。叶基生；叶柄长 3～15 cm，近基部具关节；小叶 3，倒三角形或宽倒三角形，先端凹陷。单花，与叶柄近等长或更长；萼片 5，卵状披针形；花瓣 5，白色，稀粉红色。蒴果椭圆形或近球形；种子卵形，褐色或红棕色，具纵肋。花期 7～8 月，果期 8～9 月。

| **生境分布** | 生于山地山谷林下。分布于广东乐昌、乳源、连州。

| **资源情况** | 野生资源较少。药材主要来源于野生。

| **采收加工** | 夏、秋季采收，晒干。

| **功能主治** | 酸、涩，寒。清热解毒，消肿止痛。用于泄泻，痢疾，目赤肿痛，小儿口疮；外用于乳腺炎，带状疱疹。 |

| **用法用量** | 内服煎汤，9 ～ 15 g。外用适量，鲜品捣敷。 |

| **凭证标本号** | 440781190826031LY。 |

酢浆草科 Oxalidaceae 酢浆草属 Oxalis

酢浆草
Oxalis corniculata L.

| 药 材 名 | 酢浆草（药用部位：全草。别名：酸浆草、酸味草）。

| 形态特征 | 草本。茎匍匐，多分枝。叶互生，掌状复叶具 3 小叶；小叶倒心形，无柄，全缘。花黄色，1 至数朵组成腋生的伞形花序，长 2 ～ 3 cm；萼片 5，长圆形，先端急尖，被柔毛；花瓣 5，倒卵形，比萼片长；雄蕊 10，5 长 5 短，花丝基部合生成筒状；子房 5 室，密被柔毛，柱头 5。蒴果近圆柱形，长 1 ～ 2 cm，具 5 棱，被短柔毛；种子黑褐色，具皱纹。花果期几全年。

| 生境分布 | 生于村旁、旱地、路旁。广东各地均有分布。

| 资源情况 | 野生资源较丰富。药材主要来源于野生。

| 采收加工 | 夏、秋季采收，晒干。

| 功能主治 | 酸，凉。清热利湿，解毒消肿。用于感冒发热，肠炎，肝炎，尿路感染，结石，神经衰弱；外用于跌打损伤，毒蛇咬伤，痈肿疮疖，足癣，湿疹，烫火伤。

| 用法用量 | 内服煎汤，15 ~ 60 g。外用适量，鲜品捣敷；或煎汤洗。

| 凭证标本号 | 440781190320019LY。

酢浆草科 Oxalidaceae 酢浆草属 Oxalis

红花酢浆草

Oxalis corymbosa DC.

| 药 材 名 | 红花酢浆草（药用部位：全草。别名：三夹莲、铜锤草）。

| 形态特征 | 草本。无地上茎，地下部分有球状鳞茎。叶基生；小叶3，扁圆状倒心形。二歧聚伞花序；萼片5，披针形；花瓣5，倒心形，长1.5～2 cm，长为萼的2～4倍，淡紫色至紫红色，基部色较深；雄蕊10，5长超出花柱，5长至子房中部，花丝被长柔毛；子房5室，花柱5，被锈色长柔毛，柱头浅2裂。花果期3～12月。

| 生境分布 | 生于村旁、旱地、路旁。广东各地均有分布。

| 资源情况 | 野生资源较丰富。药材主要来源于野生。

| 采收加工 | 春、夏季采收，晒干。

| 功能主治 | 酸，寒。清热解毒，散瘀消肿，调经。用于肾盂肾炎，痢疾，咽炎，牙痛，月经不调，带下；外用于毒蛇咬伤，跌打损伤，烫火伤。

| 用法用量 | 内服煎汤，9 ～ 15 g；或浸酒。外用适量，鲜品捣敷。孕妇忌用。

| 凭证标本号 | 440783200329011LY。

金莲花科 Tropaeolaceae 旱金莲属 Tropaeolum

旱金莲 *Tropaeolum majus* L.

药 材 名	旱金莲（药用部位：全草。别名：金莲花）。
形态特征	蔓生草本。叶柄长 6 ~ 31 cm，向上扭曲，盾状着生于叶片的近中心处；叶片圆形，直径 3 ~ 10 cm，有主脉 9。单花腋生；花黄色、紫色、橘红色或杂色，直径 2.5 ~ 6 cm；花托杯状；花瓣 5，通常圆形；子房 3 室，花柱 1，柱头 3 裂，线形。果实扁球形，成熟时分裂成 3 具 1 种子的瘦果。花期 6 ~ 10 月，果期 7 ~ 11 月。
生境分布	广东无野生分布。广东各地庭园均有栽培。
资源情况	有少量栽培。药材主要来源于栽培。

| 采收加工 | 春、夏季采收，晒干。

| 功能主治 | 辛，凉。清热解毒。外用于结膜炎，痈疖肿毒。

| 用法用量 | 外用适量，煎汤洗；或鲜品捣敷。

| 凭证标本号 | 蒋英2327。

凤仙花科 Balsaminaceae 凤仙花属 Impatiens

大叶凤仙花 *Impatiens apalophylla* Hook. f.

| 药 材 名 | 大叶凤仙花（药用部位：全草。别名：长匙叶凤仙花）。

| 形态特征 | 草本。叶长圆状卵形或长圆状倒披针形，长 10 ~ 22 cm，宽 4 ~ 8 cm。花 4 ~ 10 排成总状花序；花大，黄色；萼片 4，外面 2 斜卵形，内面 2 条状披针形；旗瓣椭圆形，先端圆，有小突尖，背面中肋细；翼瓣短，无柄，2 裂，基部裂片长圆形，先端渐尖，上部裂片狭矩圆形，先端圆钝，背面的耳宽；唇瓣囊状，基部突然延长成长距，距微弯或有时螺旋状；花药钝。蒴果棒状。

| 生境分布 | 生于海拔 500 ~ 800 m 的山谷水旁潮湿处。分布于广东高要、信宜、阳春、罗定、郁南及云浮（市区）。

资源情况	野生资源较少。药材主要来源于野生。
采收加工	夏、秋季采收，晒干。
功能主治	辛，凉。活血化瘀，止痛。用于跌打损伤，胸胁痛，经闭腹痛，产后瘀血不尽。
用法用量	内服煎汤，15 ～ 30 g。
凭证标本号	叶华谷等 427。

凤仙花科 Balsaminaceae 凤仙花属 Impatiens

凤仙花 *Impatiens balsamina* L.

| 药 材 名 |

急性子（药用部位：全草或种子、花。别名：指甲花、透骨草）。

| 形态特征 |

草本。叶披针形、狭椭圆形或倒披针形，长 4 ~ 12 cm，宽 1.5 ~ 3 cm。花白色、粉红色或紫色，单瓣或重瓣；侧生萼片 2，卵形或卵状披针形；唇瓣深舟状；旗瓣圆形，兜状，先端微凹，背面中肋具狭龙骨状突起；子房纺锤形，密被柔毛。果实纺锤形；种子多数，圆球形，直径 1.5 ~ 3 mm，黑褐色。花期 7 ~ 10 月。

| 生境分布 |

广东无野生分布。广东各地均有栽培或逸为野生。

| 资源情况 |

常见栽培。药材主要来源于栽培。

| 采收加工 |

夏、秋季采收，晒干。

| 功能主治 | 全草，辛、苦，温。散风祛湿，解毒止痛。用于风湿关节痛。种子，微苦，温；有小毒。活血通经，软坚消积。用于闭经，难产，骨鲠咽喉，肿块积聚。花，甘，温；有小毒。活血通经，祛风止痛。用于闭经，跌打损伤，瘀血肿痛，风湿性关节炎，痈疽疔疮，蛇咬伤，手癣；外用于解毒。

| 用法用量 | 全草，内服煎汤，6～9 g。孕妇忌用。种子，内服煎汤，3～6 g。花，外用适量，鲜品捣敷。

| 凭证标本号 | 441523190920048LY。

凤仙花科 Balsaminaceae 凤仙花属 Impatiens

睫毛萼凤仙花 Impatiens blepharosepala Pritz. ex E. Pritz. ex Diels

| **药 材 名** | 睫毛萼凤仙花（药用部位：全草。别名：建始凤仙花）。

| **形态特征** | 草本。叶长圆形或长圆状披针形，长 7 ~ 12 cm，宽 3 ~ 4 cm。总花梗腋生，花 1 ~ 2；花梗中上部有 1 条形苞片；花紫色；侧生萼片2，卵形，先端突尖，边缘有睫毛，有时有疏小齿，脱落；旗瓣近肾形，先端凹，背面中肋有狭翅，翅端具喙；翼瓣无柄，2 裂，基部裂片长圆形，上部裂片大，斧形；唇瓣宽漏斗状，基部突然延长成内弯的长达 3.5 cm 的距；花药钝。蒴果条形。

| **生境分布** | 生于山谷水旁草丛中。分布于广东乳源、乐昌、英德、始兴、仁化、和平、博罗、怀集。

| **资源情况** | 野生资源较丰富。药材主要来源于野生。 |

| **采收加工** | 夏、秋季采收,鲜用。 |

| **功能主治** | 酸、微辛,凉。清热解毒,消肿拔毒。用于疮疖肿毒,甲沟炎。 |

| **用法用量** | 外用适量,鲜品捣敷。 |

| **凭证标本号** | 440783200426006LY。 |

凤仙花科 Balsaminaceae 凤仙花属 Impatiens

华凤仙 *Impatiens chinensis* L.

| 药 材 名 | 华凤仙（药用部位：全草。别名：水凤仙、入冬雪）。

| 形态特征 | 草本。叶线形或线状披针形，稀倒卵形，长 2 ~ 10 cm，宽 0.5 ~ 1 cm。花单生或 2 ~ 3 簇生于叶腋，紫红色或白色；侧生萼片 2，线形；唇瓣漏斗状，长约 15 mm；旗瓣圆形，背面中肋具狭翅；翼瓣无柄，长 14 ~ 15 mm，2 裂，下部裂片小，近圆形；子房纺锤形，直立，稍尖。蒴果椭圆形，中部膨大，先端喙尖，无毛；种子数粒，圆球形，直径约 2 mm，黑色，有光泽。

| 生境分布 | 生于海拔 300 ~ 900 m 的山谷、水旁潮湿处。分布于广东乐昌、连州、连山、阳山、连南、仁化、和平、翁源、新丰、龙门、新兴、怀集、高州、信宜及云浮（市区）。

| 资源情况 | 野生资源较丰富。药材主要来源于野生。

| 采收加工 | 夏、秋季采收，晒干。

| 功能主治 | 苦、辛，平。清热解毒，活血散瘀，消肿拔脓。用于肺结核，颜面及咽喉肿痛，热痢；外用于蛇头疔，痈疮肿毒。

| 用法用量 | 内服煎汤，15 ～ 30 g。外用适量，鲜品捣敷。孕妇慎服。

| 凭证标本号 | 441825190708048LY。

凤仙花科 Balsaminaceae 凤仙花属 Impatiens

棒凤仙花 *Impatiens clavigera* Hook. f.

| **药 材 名** | 棒凤仙花（药用部位：全草）。

| **形态特征** | 草本。叶倒卵形或倒披针形，长 8 ~ 16 cm，宽 3.5 ~ 5 cm。总花梗生于上部叶腋，短于叶，长 8 ~ 10 cm，花多数，排成总状；花梗长 1 ~ 2 cm；花大，淡黄色，长 4 ~ 5 cm，下垂；侧生萼片 4，外面 2，斜卵形，长 8 ~ 12 mm，宽 5 mm，尖或渐尖，内面 2 较长，线状披针形，镰状弯曲，先端渐尖，长 17 mm。蒴果棒状，长 1.5 cm。

| **生境分布** | 生于山谷、水旁潮湿处。分布于广东信宜、新兴。

| **资源情况** | 野生资源较少。药材主要来源于野生。

| **采收加工** | 夏、秋季采收，鲜用。

| **功能主治** | 苦、辛，平。清热解毒，消肿，燥湿。用于湿疮，恶疮，痈疽疖毒，溃破日久，流汗黄臭，疮面糜烂秽腐。

| **用法用量** | 外用适量，鲜品捣敷。

| **凭证标本号** | 刘瑛光2207。

鸭跖草状凤仙花 Impatiens commelinoides Hand.-Mazz

| 药 材 名 | 鸭跖草状凤仙花（药用部位：全草。别名：竹节草）。

| 形态特征 | 草本。叶卵形或卵状菱形，长 2.5 ~ 6 cm，宽 1 ~ 3 cm。仅具 1 花，花蓝紫色；侧生萼片 2，宽卵形；旗瓣圆形，背面中肋有绿色狭龙骨状突起；翼瓣具柄；唇瓣宽漏斗状，基部渐狭成长约 15 mm、内弯或螺旋状卷曲的距；子房纺锤形，直立，先端具 5 齿裂。蒴果线状圆柱形，长约 1.8 cm，先端短尖；种子 5 ~ 6，长圆状球形，长 2 ~ 3 mm，褐色，平滑。花期 8 ~ 10 月，果期 11 月。

| 生境分布 | 生于山谷、水田、沟边。分布于广东乐昌、乳源、南雄、始兴、仁化、阳山。

资源情况	野生资源较少。药材主要来源于野生。
采收加工	夏、秋季采收，鲜用。
功能主治	祛风，活血，消肿，止痛。外用于痈疮肿毒。
用法用量	外用适量，鲜品捣敷。
凭证标本号	南岭队 3346。

凤仙花科 Balsaminaceae 凤仙花属 Impatiens

牯岭凤仙花 *Impatiens davidii* Franch.

| 药 材 名 | 牯岭凤仙花（药用部位：全草。别名：野凤仙花、黄凤仙花）。

| 形态特征 | 草本。叶卵状长圆形或卵状披针形，稀椭圆形，长 5 ~ 10 cm，宽 3 ~ 4 cm。仅具 1 花，花淡黄色；侧生 2 萼片宽卵形；旗瓣近圆形，背面中肋具绿色鸡冠状突起，先端具短喙尖；翼瓣具柄；唇瓣囊状，具黄色条纹，基部急狭成长约 8 mm 的钩状距；子房纺锤形，直立，具短喙尖。蒴果线状圆柱形，长 3 ~ 3.5 cm；种子多数，近圆球形，褐色，光滑。花期 7 ~ 9 月。

| 生境分布 | 生于沟边草丛或山谷阴湿处。分布于广东乐昌、乳源、连州。

| 资源情况 | 野生资源较少。药材主要来源于野生。

| **采收加工** | 夏、秋季采收，晒干。

| **功能主治** | 辛，温。消积，止痛。用于小儿疳积，腹痛。

| **用法用量** | 内服煎汤，6 ~ 9 g。

| **凭证标本号** | 440233151021389LY。

凤仙花科 Balsaminaceae 凤仙花属 *Impatiens*

水金凤 *Impatiens noli-tangere* L.

| 药 材 名 | 水金凤（药用部位：全草。别名：辉菜花）。

| 形态特征 | 草本。叶卵形或卵状椭圆形，长 3 ~ 8 cm，宽 1.5 ~ 4 cm。总状花序，花黄色；侧生 2 萼片卵形或宽卵形；旗瓣圆形或近圆形，背面中肋具绿色鸡冠状突起，先端具短喙尖；翼瓣无柄；唇瓣宽漏斗状，喉部散生橙红色斑点，基部渐狭成长 10 ~ 15 mm 内弯的距；子房纺锤形，直立，具短喙尖。蒴果线状圆柱形，长 1.5 ~ 2.5 cm；种子多数，长圆球形，长 3 ~ 4 mm，褐色，光滑。花期 7 ~ 9 月。

| 生境分布 | 生于水边湿地、山坡林下或林缘草丛。分布于广东仁化、乳源、乐昌、连山。

| 资源情况 | 野生资源较少。药材主要来源于野生。

| 采收加工 | 夏、秋季采收，晒干。 |

| 功能主治 | 甘，温。清热解毒，活血通经。用于月经不调，痛经，跌打损伤，风湿疼痛，阴囊湿疹。 |

| 用法用量 | 内服煎汤，12 ~ 20 g。外用适量，鲜品捣敷。 |

| 凭证标本号 | 441827180714049LY。 |

凤仙花科 Balsaminaceae 凤仙花属 Impatiens

丰满凤仙花 *Impatiens obesa* Hook. f.

| 药 材 名 | 丰满凤仙花（药用部位：全草。别名：山泽兰）。

| 形态特征 | 草本。叶卵形或倒披针形，长 4 ~ 15 cm，宽 2.5 ~ 3.5 cm。单花或具 2 花，花粉紫色，长 2 ~ 3 cm；侧生萼片 4，外面 2 圆形或椭圆状圆形；旗瓣宽倒卵形或楔形，长 10 ~ 15 mm，先端 2 裂或截形，背面中肋增厚，具鸡冠状突起，先端具小尖；翼瓣无柄；唇瓣短囊状或杯状；子房纺锤形，直立。蒴果纺锤形，具柄；种子圆形，扁压，直径 4 mm，无毛，栗褐色。花期 6 ~ 7 月。

| 生境分布 | 生于山谷潮湿草丛中或石隙中。分布于广东英德、从化、曲江、和平、乳源、阳春及云浮（市区）。

| **资源情况** | 野生资源较少。药材主要来源于野生。 |

| **采收加工** | 夏、秋季采收，晒干。 |

| **功能主治** | 苦，寒。清热解毒，活血散瘀，消肿。用于痈疮肿毒，月经不调。 |

| **用法用量** | 内服煎汤，3 ~ 9 g。外用适量，鲜品捣敷。 |

| **凭证标本号** | 441823200723036LY。 |

凤仙花科 Balsaminaceae 凤仙花属 Impatiens

黄金凤
Impatiens siculifer Hook. f.

| 药 材 名 | 黄金凤（药用部位：全草。别名：黄金花、水指甲）。

| 形态特征 | 草本。叶卵状披针形或椭圆状披针形，长 5 ~ 13 cm，宽 2.5 ~ 5 cm。花 5 ~ 8 排成总状花序；花梗纤细，基部有 1 披针形苞片宿存；花黄色；侧生萼片 2，窄长圆形，先端突尖；旗瓣近圆形，背面中肋增厚成狭翅；翼瓣无柄，2 裂，基部裂片近三角形，上部裂片条形；唇瓣狭漏斗状，先端有喙状短尖，基部延长成内弯或下弯的长距；花药钝。蒴果棒状。

| 生境分布 | 生于河边草丛中或林下阴湿处。分布于广东乐昌、乳源、仁化。

| 资源情况 | 野生资源较少。药材主要来源于野生。

| **采收加工** | 夏、秋季采收，晒干。

| **功能主治** | 辛、苦，凉。清热解毒，祛风除湿，活血消肿。用于风湿麻木，风湿骨痛，跌打损伤，烫火伤。

| **用法用量** | 内服煎汤，9～15 g。外用适量，鲜品捣敷。

| **凭证标本号** | 邓良 7379。

千屈菜科 Lythraceae 水苋菜属 Ammannia

耳基水苋

Ammannia arenaria Kunth.

| 药 材 名 |

耳基水苋（药用部位：全草。别名：水旱莲）。

| 形态特征 |

草本。叶对生，狭披针形或矩圆状披针形，长 1.5 ~ 7.5 cm，宽 3 ~ 15 mm，基部扩大，多少呈心状耳形，半抱茎。聚伞花序；花萼筒钟形，长 1.5 ~ 2 mm，最初基部狭，果时近半球形；花瓣 4，紫色或白色，近圆形；子房球形，长约 1 mm，花柱与子房等长或更长。蒴果扁球形，成熟时约 1/3 突出于萼外，紫红色，直径 2 ~ 3.5 mm，呈不规则周裂；种子半椭圆形。花期 8 ~ 12 月。

| 生境分布 |

生于水田或湿地上。广东各地均有分布。

| 资源情况 |

野生资源较丰富。药材主要来源于野生。

| 采收加工 |

夏、秋季采收，晒干。

| **功能主治** | 甘、淡，平。归脾、膀胱经。健脾利湿，行气散瘀。用于脾虚厌食，胸膈满闷，急慢性膀胱炎，带下，跌打肿痛。 |

| **用法用量** | 内服煎汤，8 ~ 15 g。外用适量，鲜品捣敷。 |

| **凭证标本号** | 陈少卿 7465。 |

千屈菜科 Lythraceae 水苋菜属 Ammannia

水苋菜 Ammannia baccifera L.

| 药 材 名 | 水苋菜（药用部位：全草。别名：水田基黄、细叶水苋、浆果水苋）。

| 形态特征 | 草本。叶长椭圆形、长圆形或披针形，生于茎上的长可达 7 cm，生于侧枝的较小，长 6 ～ 15 mm，宽 3 ～ 5 mm。聚伞花序；花极小，长约 1 mm，绿色或淡紫色；花萼蕾期钟形；通常无花瓣；子房球形，花柱极短或无。蒴果球形，紫红色，直径 1.2 ～ 1.5 mm，中部以上不规则周裂；种子极小，形状不规则，近三角形，黑色。花期 8 ～ 10月，果期 9 ～ 12 月。

| 生境分布 | 生于水田、沟旁潮湿处。分布于广东乐昌、乳源、连山、翁源、蕉岭、高要及云浮（市区）、广州（市区）。

| 资源情况 | 野生资源较丰富。药材主要来源于野生。

| 采收加工 | 夏季采收，晒干。

| 功能主治 | 甘、淡，凉。清热利湿，解毒。用于肺热咳嗽，痢疾，黄疸性肝炎，尿路感染；
外用于痈疖肿毒。

| 用法用量 | 内服煎汤，8 ~ 12 g。外用适量，鲜品捣敷。

| 凭证标本号 | 440224181203029LY。

千屈菜科 Lythraceae 紫薇属 *Lagerstroemia*

紫薇

Lagerstroemia indica L.

| 药 材 名 |

紫薇（药用部位：树皮、花、根。别名：搔痒树、紫荆皮、紫金标）。

| 形态特征 |

小乔木。叶椭圆形、阔长圆形或倒卵形，长 2.5 ~ 7 cm，宽 1.5 ~ 4 cm。花淡红色、紫色或白色，组成长 7 ~ 20 cm 的顶生圆锥花序；花萼长 7 ~ 10 mm；花瓣 6，皱缩，长 12 ~ 20 mm，具长爪；雄蕊 36 ~ 42，外面 6 着生于花萼上，比其余的长得多；子房 3 ~ 6 室，无毛。蒴果椭圆状球形或阔椭圆形，长 1 ~ 1.3 cm。花期 6 ~ 9 月，果期 9 ~ 12 月。

| 生境分布 |

广东无野生分布。广东各地有引种栽培。

| 资源情况 |

常见栽培。药材主要来源于栽培。

| 采收加工 |

夏、秋季采收，晒干。

| **功能主治** | 微苦、涩，平。活血止血，解毒，消肿。用于各种出血症，骨折，乳腺炎，湿疹，肝炎，肝硬化腹水。

| **用法用量** | 树皮、根，内服煎汤，15 ～ 60 g。花，内服煎汤，10 ～ 15 g。

| **凭证标本号** | 441623180626091LY。

千屈菜科 Lythraceae 紫薇属 Lagerstroemia

大花紫薇 *Lagerstroemia speciosa* (L.) Pers.

| 药 材 名 | 大花紫薇（药用部位：根、叶。别名：大叶紫薇）。

| 形态特征 | 乔木。叶长圆状椭圆形或卵状椭圆形，稀披针形，长 10 ～ 25 cm，宽 6 ～ 12 cm。圆锥花序顶生，花淡红色或紫色，直径 5 cm；花梗长 1 ～ 1.5 cm，花轴、花梗及花萼外面均被黄褐色、糠秕状的密毡毛；花萼有棱 12；花瓣 6，近圆形至长圆状倒卵形，长 2.5 ～ 3.5 cm，有短爪，爪长约 5 mm；子房球形。蒴果球形至倒卵状长圆形，长 2 ～ 3.8 cm，直径约 2 cm。花期 5 ～ 7 月，果期 10 ～ 11 月。

| 生境分布 | 广东无野生分布。广东各地均有栽培。

| 资源情况 | 常见栽培。药材主要来源于栽培。

| 采收加工 | 夏、秋季采收，晒干。 |

| 功能主治 | 敛疮，解毒。外用于痈疮肿毒。 |

| 用法用量 | 外用适量，研末敷；或煎汤洗；或鲜品捣敷。 |

| 凭证标本号 | 445224191003101LY。 |

千屈菜科 Lythraceae 紫薇属 Lagerstroemia

南紫薇

Lagerstroemia subcostata Koehne

| 药 材 名 |

南紫薇（药用部位：根。别名：拘那花、蚊仔花、马铃花）。

| 形态特征 |

乔木。叶长圆形、长圆状披针形，稀卵形，长 2 ～ 9（～ 11）cm，宽 1 ～ 4.4（～ 5）cm。圆锥花序，花密生；花萼有棱 10 ～ 12，长 3.5 ～ 4.5 mm，5 裂，裂片三角形，直立，内面无毛；花瓣 6，长 2 ～ 6 mm，皱缩，有爪；雄蕊 15 ～ 30，5 ～ 6 较长，12 ～ 14 较短，着生于萼片或花瓣上，花丝细长；子房无毛，5 ～ 6 室。蒴果椭圆形，长 6 ～ 8 mm，3 ～ 6 瓣裂。花期 6 ～ 8 月，果期 7 ～ 10 月。

| 生境分布 |

生于林缘或溪边的湿润沃土上。分布于广东乐昌、乳源、连州、连山、连南、阳山、南雄、始兴、仁化、英德、翁源、新丰、连平、和平、龙门。

| 资源情况 |

野生资源较少。药材主要来源于野生。

| 采收加工 | 夏、秋季采挖，晒干。

| 功能主治 | 淡、微苦，寒。解毒，散瘀，截疟。用于痈疮肿毒，蛇咬伤，疟疾。

| 用法用量 | 内服煎汤，9 ~ 15 g。外用适量，鲜品捣敷。

| 凭证标本号 | 441882180813039LY。

千屈菜科 Lythraceae 散沫花属 Lawsonia

散沫花 *Lawsonia inermis* L.

| 药 材 名 | 散沫花（药用部位：叶。别名：指甲花、干甲树）。

| 形态特征 | 大灌木。叶椭圆形或椭圆状披针形，长 1.5 ～ 5 cm，宽 1 ～ 2 cm。花极香，白色或玫瑰红色至朱红色；花萼长 2 ～ 5 mm，4 深裂，裂片阔卵状三角形；花瓣 4，略长于萼裂片，边缘内卷，有齿；雄蕊通常 8，花丝丝状，长为花萼裂片的 2 倍；子房近球形，花柱丝状，略长于雄蕊，柱头钻状。蒴果扁球形，直径 6 ～ 7 mm，通常有 4 凹痕。花期 6 ～ 10 月，果期 12 月。

| 生境分布 | 广东无野生分布。广东珠江三角洲等有栽培。

| 资源情况 | 有少量栽培。药材主要来源于栽培。

| 采收加工 | 夏、秋季采收，晒干。

| 功能主治 | 微酸、涩，凉。清热解郁。用于慢性肝炎，肝硬化腹水。

| 用法用量 | 内服煎汤，9 ~ 15 g。

| 凭证标本号 | 左景烈 21424。

千屈菜科 Lythraceae 千屈菜属 Lythrum

绒毛千屈菜
Lythrum salicaria L. var. *tomentosum* DC.

| 药 材 名 | 绒毛千屈菜（药用部位：全草或根茎。别名：水滨柳、铁菱角、毛千屈菜）。

| 形态特征 | 草本。叶对生或 3 叶轮生，披针形或阔披针形，长 4 ~ 6 cm，宽 8 ~ 15 mm。穗状花序；花多数轮生；花萼筒长 5 ~ 8 mm，有纵棱 12，稍被粗毛，裂片 6，三角形；花瓣 6，红紫色或淡紫色，倒披针状长椭圆形，基部楔形，长 7 ~ 8 mm，着生于萼筒上部，有短爪，稍皱缩；雄蕊 12，6 长 6 短，伸出萼筒之外；子房 2 室，花柱长短不一。蒴果扁圆形。

| 生境分布 | 生于山谷或溪畔的潮湿沃土上。分布于广东乳源、乐昌、连州。

| 资源情况 | 野生资源较少。药材主要来源于野生。

| 采收加工 | 夏、秋季采收，晒干。

| 功能主治 | 甘、苦，凉。清热解毒，凉血止血。全草，用于痢疾，血崩，高热。根茎，外用于宫颈炎，烫火伤。

| 用法用量 | 全草，内服煎汤，9～30g。根茎，外用适量，煎汤洗。

| 凭证标本号 | 440281190816006LY。

千屈菜科 Lythraceae 节节菜属 Rotala

节节菜
Rotala indica (Willd.) Koehne

| **药 材 名** | 节节菜（药用部位：全草。别名：碌耳草、水马兰、节节草）。

| **形态特征** | 草本。叶对生，倒卵状椭圆形或矩圆状倒卵形，长 4 ~ 17 mm，宽 3 ~ 8 mm。花小，组成穗状花序；花萼筒管状钟形，膜质，半透明，长 2 ~ 2.5 mm，裂片 4，披针状三角形，先端渐尖；花瓣 4，极小，倒卵形，淡红色，宿存；雄蕊 4；子房椭圆形，先端狭，长约 1 mm，花柱丝状，长为子房的 1/2 或近相等。蒴果椭圆形，稍有棱，长约 1.5 mm，常 2 瓣裂。花期 9 ~ 10 月，果期 10 月至翌年 4 月。

| **生境分布** | 生于水田或潮湿处。广东各地均有分布。

| **资源情况** | 野生资源较丰富。药材主要来源于野生。

| **采收加工** | 春、夏季采收，鲜用。 |

| **功能主治** | 酸、苦，凉。清热解毒，止泻。用于疮疖肿毒，小儿泄泻。 |

| **用法用量** | 内服煎汤，10 ~ 30 g。外用适量，鲜品捣敷。 |

| **凭证标本号** | 谭沛祥 60240。 |

千屈菜科 Lythraceae 节节菜属 Rotala

圆叶节节菜

Rotala rotundifolia (Buch.-Ham. ex Roxb.) Koehne

| 药 材 名 |

圆叶节节菜（药用部位：全草。别名：水苋菜、水马桑）。

| 形态特征 |

草本。全体带紫红色。叶对生，近圆形、阔倒卵形或阔椭圆形，长 5 ~ 10 mm。花单生于苞片内，组成顶生稠密的穗状花序；花极小，长约 2 mm，几无梗；花萼筒阔钟形，膜质，半透明，长 1 ~ 1.5 mm，裂片 4，三角形，裂片间无附属体；花瓣 4，倒卵形，淡紫红色，长约为花萼裂片的 2 倍；雄蕊 4；子房近梨形，长约 2 mm。蒴果椭圆形，3 ~ 4 瓣裂。花果期 12 月至翌年 6 月。

| 生境分布 |

生于水田或潮湿处。广东各地均有分布。

| 资源情况 |

野生资源较丰富。药材主要来源于野生。

| 采收加工 |

春、夏季采收，晒干。

| **功能主治** | 甘、淡，凉。清热利湿，解毒。用于肺热咳嗽，痢疾，黄疸性肝炎，尿路感染；外用于痈疖肿毒。

| **用法用量** | 内服煎汤，15 ~ 30 g。外用适量，鲜品捣敷。

| **凭证标本号** | 441523190402026LY。

千屈菜科 Lythraceae 虾子花属 Woodfordia

虾子花

Woodfordia fruticosa (L.) Kurz

| 药 材 名 | 虾子花（药用部位：根、花。别名：吴福花、红虾花）。

| 形态特征 | 灌木。叶对生，披针形或卵状披针形，长 3 ~ 14 cm，宽 1 ~ 4 cm。聚伞状圆锥花序；花萼筒花瓶状，鲜红色，长 9 ~ 15 mm，裂片长圆状卵形，长约 2 mm；花瓣小而薄，淡黄色，线状披针形，与花萼裂片等长，稀过长；雄蕊 12，突出萼外；子房长圆形，2 室，花柱细长，超过雄蕊。蒴果膜质，线状长椭圆形，长约 7 mm，开裂成 2 果瓣；种子甚小，卵状或圆锥形，红棕色。花期春季。

| 生境分布 | 生于山坡、路旁。广东无野生分布。广东云浮（市区）、广州（市区）有栽培。

| 资源情况 | 有少量栽培。药材主要来源于栽培。

| 采收加工 | 春、夏季采收，晒干。

| 功能主治 | 微甘、涩，温。调经活血，凉血止血，通经活络。用于血崩，月经不调，风湿性关节炎，腰肌劳损，鼻衄，咯血。

| 用法用量 | 内服煎汤，9 ~ 15 g。

| 凭证标本号 | 黄志、邓良 571。

安石榴科 Punicaceae 安石榴属 Punica

安石榴 *Punica granatum* L.

| 药 材 名 | 安石榴（药用部位：根、茎皮、果皮、花、叶。别名：石榴、石榴皮）。

| 形态特征 | 乔木。枝顶常成尖锐长刺。叶长圆状披针形，长 2 ~ 9 cm，先端短尖、钝尖或微凹。花大；花萼筒长 2 ~ 3 cm，通常红色或淡黄色，裂片略外展，卵状三角形，长 8 ~ 13 mm，外面近先端有 1 黄绿色腺体，边缘有小乳突；花瓣通常大，红色、黄色或白色，长 1.5 ~ 3 cm，宽 1 ~ 2 cm，先端圆形。浆果近球形，直径 5 ~ 12 cm，通常为淡黄褐色或淡黄绿色，有时白色，稀暗紫色。

| 生境分布 | 广东无野生分布。广东乐昌、乳源、连州、连山、连南、南雄、始兴、仁化、英德、阳山、翁源、新丰、连平、和平、龙门及广州（市区）等有栽培。

| **资源情况** | 有少量栽培。药材主要来源于栽培。

| **采收加工** | 根、茎皮，夏、秋季采收，晒干；果皮，秋、冬季采收，晒干；花、叶，夏季采收，晒干。

| **功能主治** | 酸、涩，温。收敛止泻，杀虫。根、茎皮、果皮，用于虚寒久泻，肠炎，痢疾，便血，脱肛，血崩，绦虫病，蛔虫病；外用于稻田性皮炎。花，用于吐血，衄血；外用于中耳炎。叶，用于急性肠炎。

| **用法用量** | 根、茎皮、果皮，内服煎汤，3 ~ 9 g。花，内服煎汤，3 ~ 9 g。外用适量，研末吹耳。叶，内服煎汤，30 ~ 60 g。

| **凭证标本号** | 440523190714037LY。

柳叶菜科 Onagraceae 露珠草属 Circaea

谷蓼 *Circaea erubescens* Franch. et Savat.

| 药 材 名 | 谷蓼（药用部位：全草。别名：台湾露珠草）。

| 形态特征 | 草本。叶披针形至卵形，稀阔卵形，长 2.5 ～ 10 cm，宽 1 ～ 6 cm。
总状花序；花被管长 0.5 ～ 0.8 mm；萼片长圆状椭圆形至披针形，
红色至紫红色，先端渐尖，花开时反曲；花瓣狭倒卵状菱形至阔倒
卵状菱形或倒卵形，粉红色；花瓣裂片具细圆齿或具小的二级裂片。
果实倒卵形至阔卵形。花期 6 ～ 9 月，果期 7 ～ 9 月。

| 生境分布 | 生于山谷湿地。分布于广东乳源。

| 资源情况 | 野生资源较少。药材主要来源于野生。

| **采收加工** | 夏、秋季采收，晒干。

| **功能主治** | 辛、苦，平。宣肺止咳，行气散瘀，利尿通淋。用于外感咳嗽，脘腹胀痛，瘀阻痛经，月经不调，闭经，泄泻，水肿，淋证，疮肿，痈疽，癣痒，湿疣。

| **用法用量** | 内服煎汤，6～15 g。外用适量，鲜品捣敷。

| **凭证标本号** | 李学根 201148。

柳叶菜科 Onagraceae 露珠草属 Circaea

南方露珠草 *Circaea mollis* Sieb. et Zucc.

| 药 材 名 | 南方露珠草（药用部位：全草。别名：细毛水珠草、细毛谷蓼）。

| 形态特征 | 草本。叶狭披针形、阔披针形至狭卵形，长3～16 cm，宽2～5.5 cm。总状花序；花管长0.5～1 mm；萼片淡绿色或带白色；花瓣白色，阔倒卵形；雄蕊开花时通常直伸。果实狭梨形至阔梨形或球形。花期7～9月，果期8～10月。

| 生境分布 | 生于山谷林中。分布于广东乐昌、连南、阳山、始兴、翁源、和平。

| 资源情况 | 野生资源较丰富。药材主要来源于野生。

| 采收加工 | 夏、秋季采收，鲜用。

| **功能主治** | 辛，凉；有小毒。清热解毒，生肌拔毒，杀虫。用于疥疮，脓疱疮，刀伤出血。 |

| **用法用量** | 外用适量，鲜品捣敷。 |

| **凭证标本号** | 李学根 201322。 |

柳叶菜科 Onagraceae 柳叶菜属 *Epilobium*

柳叶菜 *Epilobium hirsutum* L.

| **药 材 名** | 柳叶菜（药用部位：全草或花、根。别名：水接骨、鸡脚参、水朝阳花）。

| **形态特征** | 草本。叶披针状椭圆形至狭倒卵形或椭圆形，稀狭披针形，长 4 ~ 12（~ 20）cm，宽 0.3 ~ 3.5（~ 5）cm。总状花序直立；苞片叶状；花直立，花蕾卵状长圆形；子房灰绿色至紫色，长 2 ~ 5 cm，密被长柔毛与短腺毛；花管长 1.3 ~ 2 mm，在喉部有 1 圈长白毛；萼片长圆状线形；花瓣常玫瑰红色、粉红色或紫红色。蒴果长 2.5 ~ 9 cm，密被长柔毛与短腺毛。花期 6 ~ 8 月，果期 7 ~ 9 月。

| **生境分布** | 生于山谷、溪边或石砾地。分布于广东乐昌、乳源、翁源、新丰及广州（市区）。

| 资源情况 | 野生资源较少。药材主要来源于野生。

| 采收加工 | 秋季采收,晒干。

| 功能主治 | 淡,平。全草,用于骨折,跌打损伤,疔疮痈肿,外伤出血。花,清热消炎,调经止带,止痛。用于牙痛,急性结膜炎,咽喉炎,月经不调,带下。根,理气活血,止血。用于闭经,胃痛,食滞饱胀。

| 用法用量 | 全草,外用适量,捣敷;或研末调敷。花,内服煎汤,6 ~ 9 g。根,内服煎汤,9 ~ 15 g。

| 凭证标本号 | 440785180709055LY。

柳叶菜科 Onagraceae 柳叶菜属 *Epilobium*

长籽柳叶菜 *Epilobium pyrricholophum* Franch. et Savat.

| 药 材 名 | 长籽柳叶菜（药用部位：全草）。

| 形态特征 | 草本。叶披针形，长 2 ~ 5 cm，宽 0.5 ~ 2 cm。花序密被腺毛与曲柔毛；花管长 1 ~ 1.2 cm，喉部有 1 圈白色长毛；萼片披针状长圆形，被曲柔毛与腺毛；花瓣粉红色至紫红色；子房长 1.5 ~ 3 cm，密被腺毛。蒴果长 3.5 ~ 7 cm，被腺毛；种缨红褐色，长 7 ~ 12 mm，常宿存。花期 7 ~ 9 月，果期 8 ~ 11 月。

| 生境分布 | 生于山谷湿地。分布于广东仁化、翁源、乳源、乐昌、怀集、和平、阳山等。

| 资源情况 | 野生资源较少。药材主要来源于野生。

| 采收加工 | 夏、秋季采收，晒干。

| 功能主治 | 苦、辛，凉。清热利湿，止血安胎，解毒消肿。用于痢疾，咯血，便血，月经过多，胎动不安，痈疮疖肿，烫伤，跌打损伤，外伤出血。

| 用法用量 | 内服煎汤，15 ～ 30 g。

| 凭证标本号 | 440281200711017LY。

柳叶菜科 Onagraceae 丁香蓼属 Ludwigia

水龙
Ludwigia adscendens (L.) Hara

| 药 材 名 | 过塘蛇（药用部位：全草。别名：过江龙、过沟龙、过江藤）。

| 形态特征 | 草本。浮水茎每节上常有圆柱状的白色囊状浮器，具多数丝状根。叶倒卵形至长圆状倒卵形，长 1.5 ~ 5 cm，宽 0.5 ~ 2.5 cm。花单生于叶腋，5 基数，花梗约与萼管等长；萼裂片披针形，渐尖；花瓣白色，基部淡黄色，倒卵形，长约 12 mm，宽约 8 mm；雄蕊 10；子房 5 室，下位，外面疏被长柔毛，柱头头状，膨大，5 浅裂。蒴果圆柱形，长 2 ~ 3 cm，直径约 3 mm，有时疏被柔毛。花期夏、秋季。

| 生境分布 | 生于水田、浅水塘、溪边。分布于广东乐昌、和平、博罗、高要、

封丌、阳春、阳西、高州。

| **资源情况** | 野生资源较丰富。药材主要来源于野生。

| **采收加工** | 夏、秋季采收，晒干。

| **功能主治** | 淡，凉。清热利湿，解毒消肿。用于感冒发热，麻疹不透，肠炎，痢疾，小便不利；外用于疮疖脓肿，腮腺炎，带状疱疹，黄水疮，湿疹，皮炎，蛇犬咬伤。

| **用法用量** | 内服煎汤，15 ～ 30 g；外用适量，鲜品捣敷；或干粉调敷。

| **凭证标本号** | 440881180303187LY。

柳叶菜科 Onagraceae 丁香蓼属 *Ludwigia*

草龙
Ludwigia hyssopifolia (G. Don) Exell

| 药 材 名 | 草龙（药用部位：全草。别名：线叶丁香蓼、细叶水丁香）。

| 形态特征 | 草本。叶披针形至线形，长 2 ~ 10 cm，宽 0.5 ~ 1.5 cm。花萼片 4，卵状披针形；花瓣 4，黄色，倒卵形或近椭圆形；雄蕊 8，淡绿黄色。蒴果近无柄，幼时近四棱形，成熟时近圆柱状，长 1 ~ 2.5 cm；种子在蒴果上部，每室排成多列，近椭圆状。花果期几全年。

| 生境分布 | 生于田边、水沟、河滩、塘边、湿地等向阳处。分布于广东始兴、高要、封开、德庆、博罗、龙门、陆河、阳西、阳春、连山、英德、郁南、罗定及广州（市区）、深圳（市区）。

| 资源情况 | 野生资源较丰富。药材主要来源于野生。

| 采收加工 | 夏、秋季采收，晒干。

| 功能主治 | 淡，凉。清热解毒，去腐生肌。用于感冒发热，咽喉肿痛，口腔炎，口腔溃疡，痈疮疖肿。

| 用法用量 | 内服煎汤，15 ～ 30 g。

| 凭证标本号 | 440783190718002LY。

柳叶菜科 Onagraceae 丁香蓼属 *Ludwigia*

毛草龙
Ludwigia octovalvis (Jacq.) Raven

| 药 材 名 | 毛草龙（药用部位：全草。别名：扫锅草、水秧草）。

| 形态特征 | 亚灌木状草本。叶披针形或线状披针形，长 3.5 ~ 10 cm，宽 0.4 ~ 2 cm。花黄色，腋生，无花梗或近无梗；小苞片不明显；萼裂片 4，卵形，长 6 ~ 7 mm，短渐尖，具 3 脉；花瓣 4，黄色，倒卵状圆形，先端微凹，具 4 对明显的脉纹，长 8 ~ 10 mm；子房 4 室。蒴果圆柱形，绿色或淡紫色，长 2 ~ 5 cm，直径约 5 mm，被毛，稀无毛，有 8 棱，在棱间开裂，宿存的萼裂片长圆状卵形，长 8 ~ 10 mm。花期 7 ~ 10 月。

| 生境分布 | 生于田边、沟谷旁及潮湿的旷地上。广东各地均有分布。

| **资源情况** | 野生资源较丰富。药材主要来源于野生。

| **采收加工** | 夏、秋季采收，晒干。

| **功能主治** | 淡，凉。清热解毒，去腐生肌。用于感冒发热，咽喉肿痛，口腔炎，口腔溃疡，痈疮疖肿。

| **用法用量** | 内服煎汤，15 ~ 30 g。

| **凭证标本号** | 441622200909046LY。

柳叶菜科 Onagraceae 丁香蓼属 Ludwigia

丁香蓼
Ludwigia prostrata Roxb.

| 药 材 名 | 丁香蓼（药用部位：全草。别名：水丁香、小疗药、小石榴叶）。

| 形态特征 | 草本。叶狭椭圆形，长 3 ～ 9 cm，宽 1.2 ～ 2.8 cm。萼片 4；花瓣黄色，匙形，长 1.2 ～ 2 mm，宽 0.4 ～ 0.8 mm，先端近圆形，基部楔形；雄蕊 4。蒴果四棱形，长 1.2 ～ 2.3 cm，直径 1.5 ～ 2 mm，淡褐色，无毛，成熟时迅速不规则室背开裂；果柄长 3 ～ 5 mm；种子呈 1 列横卧于每室内，里生，卵状，长 0.5 ～ 0.6 mm，直径约 0.3 mm，先端稍偏斜，具小尖头；种脊线形，长约 0.4 mm。花期 6 ～ 7 月，果期 8 ～ 9 月。

| 生境分布 | 生于田边、沟谷旁及潮湿的旷地上。分布于广东仁化、翁源、怀集、封开、德庆、大埔、阳春、连山、连州、新兴及河源（市区）、深圳（市区）。

| **资源情况** | 野生资源较丰富。药材主要来源于野生。

| **采收加工** | 夏、秋季采收，晒干。

| **功能主治** | 苦，凉。清热解毒，利湿消肿。用于肠炎，痢疾，病毒性肝炎，肾炎性水肿，膀胱炎，带下，痔疮；外用于痈疖疔疮，蛇虫咬伤。

| **用法用量** | 内服煎汤，15 ~ 30 g，治痢疾，鲜品 90 ~ 120 g。外用适量，鲜品捣敷。

| **凭证标本号** | 441622200909046LY。

月见草
Oenothera biennis L.

药 材 名	月见草（药用部位：根。别名：夜来香、山芝麻）。
形态特征	草本。基生叶倒披针形；茎生叶椭圆形至倒披针形，长 7 ~ 20 cm，宽 1 ~ 5 cm。穗状花序；花蕾锥状长圆形，长 1.5 ~ 2 cm；花管长 2.5 ~ 3.5 cm；萼片绿色，有时带红色，长圆状披针形；花瓣黄色，稀淡黄色，宽倒卵形，长 2.5 ~ 3 cm，宽 2 ~ 2.8 cm；子房绿色，圆柱状，具 4 棱，长 1 ~ 1.2 cm；花柱长 3.5 ~ 5 cm，伸出花管部分长 0.7 ~ 1.5 cm。蒴果锥状圆柱形，向上变狭，长 2 ~ 3.5 cm。花期 6 ~ 8 月，果期 8 ~ 10 月。
生境分布	广东无野生分布。广东广州（市区）有引种栽培。

| **资源情况** | 有少量栽培。药材主要来源于栽培。

| **采收加工** | 春、秋季采挖，除去泥土，洗净，晒干。

| **功能主治** | 甘，温。祛风湿，强筋骨。用于风湿病，筋骨疼痛，中风偏瘫。

| **用法用量** | 内服煎汤，6 ~ 15 g。

| **凭证标本号** | 邓良 9420。

菱科 Trapaceae　菱属 Trapa

菱
Trapa bispinosa Roxb.

| 药 材 名 | 菱（药用部位：果实。别名：菱角、风菱、乌菱）。

| 形态特征 | 草本。叶二型；浮水叶聚生于茎端，叶片阔菱形，长 3 ~ 4.5 cm，宽 4 ~ 6 cm；叶柄中上部膨大成海绵质气囊；沉水叶小，早落。花小；花萼筒 4 裂，仅 1 对萼裂片被毛，其中 2 裂片演变为角；花瓣 4，白色，着生于上位花盘的边缘；雄蕊 4；雌蕊具 2 心皮，2 室，子房半下位。果实具水平开展的 2 肩角；种子白色，元宝形，两角钝，白色粉质。花期 4 ~ 8 月，果期 7 ~ 9 月。

| 生境分布 | 广东无野生分布。广东翁源、高要、惠阳、惠来及广州（市区）有栽培。

| 资源情况 | 有少量栽培。药材主要来源于栽培。

| 采收加工 | 秋末采收，晒干。

| 功能主治 | 甘、涩，平。健胃止痢，抗肿瘤。用于胃溃疡，痢疾，食管癌，乳腺癌，子宫颈癌。

| 用法用量 | 内服煎汤，30 ~ 45 g。

| 附　　注 | 本种菱柄外用可治疗皮肤多发性赘疣；菱壳烧灰外用可治疗黄水疮、痔疮。

| 凭证标本号 | 石国良 12413。

小二仙草科 Haloragidaceae 小二仙草属 *Gonocarpus*

黄花小二仙草 *Gonocarpus chinensis* (Loureiro) Orchard [*Haloragis chinensis* (Lour.) Merr.]

| 药 材 名 |

黄花小二仙草（药用部位：全草。别名：石崩）。

| 形态特征 |

草本。叶对生，近无柄，通常条状披针形至矩圆形，长 10 ~ 28 mm，宽 1 ~ 9 mm。花序为纤细的总状花序及穗状花序组成顶生的圆锥花序；花两性，极小；萼筒圆柱形，4 深裂；花瓣 4，狭矩圆形；雄蕊 8，花丝短，花药狭长圆形，基部着生，纵裂；子房下位，卵状，4 室，每室具一倒垂的胚珠，花柱长 0.1 ~ 0.3 mm。坚果极小，近球形，长约 1 mm，具 8 纵棱，并具粗糙的瘤状物。花期春、夏、秋季，果期夏、秋季。

| 生境分布 |

生于潮湿的荒山草丛。分布于广东英德、和平、惠阳、惠东、陆丰、五华、南海、斗门、新会、台山、阳春、电白、封开及广州（市区）、深圳（市区）。

| 资源情况 |

野生资源较丰富。药材主要来源于野生。

| **采收加工** | 夏、秋季采收，晒干。 |

| **功能主治** | 苦，凉。活血消肿，止咳平喘。用于跌打骨折，哮喘，咳嗽。 |

| **用法用量** | 内服煎汤，6～15 g。外用适量，鲜品捣敷。 |

| **凭证标本号** | 441623181018005LY。 |

小二仙草

Gonocarpus micranthus Thunb. [*Haloragis micrantha* (Thunb.) R. Br. ex Sieb. et Zucc.]

| 药 材 名 | 小二仙草（药用部位：全草。别名：豆瓣草、船板草）。

| 形态特征 | 草本。叶对生，卵形或卵圆形，长 6 ~ 17 mm，宽 4 ~ 8 mm。花序为顶生的圆锥花序；花两性，极小，直径约 1 mm；花萼筒长 0.8 mm，4 深裂，宿存，绿色，裂片较短，三角形，长 0.5 mm；花瓣 4，淡红色，比萼片长 2 倍；雄蕊 8，花丝短，长 0.2 mm，花药线状椭圆形，长 0.3 ~ 0.7 mm；子房下位，2 ~ 4 室。坚果近球形，小形，长 0.9 ~ 1 mm，宽 0.7 ~ 0.9 mm，有 8 纵钝棱，无毛。花期 4 ~ 8 月，果期 5 ~ 10 月。

| 生境分布 | 生于荒山草丛。分布于广东乐昌、阳山、乳源、南雄、始兴、连州、新兴、博罗、连平、从化、大埔、饶平、蕉岭、平远、高要、阳春、高州、封开、信宜及深圳（市区）。

| **资源情况** | 野生资源较丰富。药材主要来源于野生。

| **采收加工** | 夏、秋季采收，晒干。

| **功能主治** | 苦，凉。清热利湿，止咳平喘，调经活血。用于咳嗽哮喘，痢疾，小便不利，月经不调，跌打损伤。

| **用法用量** | 内服煎汤，鲜品 30 ~ 60 g。

| **凭证标本号** | 441825191002003LY。

小二仙草科 Haloragidaceae 狐尾藻属 *Myriophyllum*

穗状狐尾藻 *Myriophyllum spicatum* L.

| 药 材 名 | 穗状狐尾藻（药用部位：全草。别名：金鱼藻、聚藻、泥茜）。

| 形态特征 | 沉水草本。叶常5轮生，丝状全细裂，叶裂片约13对，细线形，裂片长1～1.5 cm。花两性，单性或杂性，雌雄同株，常4轮生，由多数花排成近裸颓的顶生或腋生的穗状花序，长6～10 cm，生于水面上；单性花上部为雄花，下部为雌花，中部有时为两性花；雄花萼筒广钟状，花瓣4，阔匙形；雌花萼筒管状，子房下位。分果广卵形或卵状椭圆形。花期春、秋季；4～9月结果。

| 生境分布 | 生于池塘、湖泊、沼泽，石灰岩地区较常见。广东各地均有分布。

| 资源情况 | 野生资源较丰富。药材主要来源于野生。

| **采收加工** | 夏、秋季采收，晒干。 |

| **功能主治** | 淡，凉。清热解毒。用于痢疾。 |

| **用法用量** | 内服煎汤，15 ~ 20 g。 |

| **凭证标本号** | 石国良 10609。 |

瑞香科 Thymelaeaceae 沉香属 Aquilaria

土沉香
Aquilaria sinensis (L.) Spreng.

| 药 材 名 | 沉香（药用部位：含有黑色香树脂的木质心材。别名：女儿香、白木香）。

| 形态特征 | 乔木。叶椭圆形至长圆形，有时近倒卵形，长5～9 cm，宽2.8～6 cm。伞形花序；花萼筒浅钟状，长5～6 mm，两面均密被短柔毛，5裂；花瓣10，鳞片状，着生于花萼筒喉部，密被毛；雄蕊10，排成1轮；子房卵形，密被灰白色毛。蒴果卵球形，长2～3 cm，直径约2 cm，先端具短尖头，基部渐狭，密被黄色短柔毛，2瓣裂，2室，每室具1种子。花期春、夏季，果期夏、秋季。

| 生境分布 | 生于低海拔和丘陵地带。分布于广东新丰、博罗、惠东、惠阳、斗门、高要、新会、阳春、阳西及广州（市区）、中山（市区）、深圳（市区）。

| 资源情况 | 野生资源较少。有大量栽培。药材主要来源于栽培。

| 采收加工 | 全年均可采收，晒干。

| 功能主治 | 辛、苦，微温。降气，调中，暖肾，止痛。用于胸腹胀痛，呕吐呃逆，气逆喘促。

| 用法用量 | 内服煎汤，1 ～ 3 g。

| 凭证标本号 | 445222180611004LY。

瑞香科 Thymelaeaceae 瑞香属 Daphne

长柱瑞香
Daphne championii Benth.

| **药 材 名** | 长柱瑞香（药用部位：全株。别名：野黄皮、白花仔、吐狗药）。

| **形态特征** | 灌木。叶椭圆形或近卵状椭圆形，长 1.5 ~ 4.5 cm，宽 0.6 ~ 1.8 cm。花白色，通常 3 ~ 7 组成头状花序；花萼筒筒状，长 6 ~ 8 mm，外面贴生淡黄色或淡白色丝状绒毛，裂片 4，广卵形，长约 1 mm，外面密被淡白色丝状绒毛；子房椭圆形，无柄或几无柄，灰色，上部或几全部密被白色丝状粗毛，花柱细长，长约 4 mm，柱头头状。花期 2 ~ 4 月。

| **生境分布** | 生于海拔 500 ~ 1 000 m 的山谷、疏林边缘或山坡灌丛。分布于广东乳源、连州、阳山、英德、始兴、新丰、从化、龙门、惠东、平远、大埔、蕉岭、阳春、怀集、封开。

| **资源情况** | 野生资源较少。药材主要来源于野生。

| **采收加工** | 夏、秋季采收，切段，晒干。

| **功能主治** | 甘、淡、微涩，凉。清热，凉血，利水。用于风热感冒，高热，急性肝炎。

| **用法用量** | 内服煎汤，3 ~ 10 g。

| **凭证标本号** | 441825190412033LY。

瑞香科 Thymelaeaceae 瑞香属 Daphne

毛瑞香

Daphne kiusiana Miq. var. *atrocaulis* (Rehd.) F. Maekawa

| 药 材 名 | 毛瑞香（药用部位：根、茎皮。别名：大黄构、贼腰带、野梦花）。

| 形态特征 | 灌木。叶椭圆形或披针形，长 6 ～ 12 cm，宽 1.8 ～ 3 cm。花白色，有时淡黄白色，呈头状花序；花萼筒圆筒状，外面下部密被淡黄绿色丝状茸毛；子房无毛，倒圆锥状圆柱形，长 2.2 mm，先端渐尖，窄成短的花柱，柱头头状，直径 0.7 mm。果实红色，阔椭圆形或卵状椭圆形，长 10 mm，直径 5 ～ 6 mm。花期 11 月至翌年 2 月，果期 4 ～ 5 月。

| 生境分布 | 生于山地、山坡疏林。分布于广东乳源。

| 资源情况 | 野生资源较少。药材主要来源于野生。

| 采收加工 | 夏、秋季采收，晒干。

| 功能主治 | 辛、苦，温；有毒。祛风除湿，活血止痛。用于风湿痹痛，劳伤腰痛，跌打损伤，咽喉肿痛，牙痛，疮毒。

| 用法用量 | 内服煎汤，3 ～ 10 g。

| 凭证标本号 | 441523200107010LY。

瑞香科 Thymelaeaceae 瑞香属 Daphne

白瑞香

Daphne papyracea Wall. ex Steud.

| **药 材 名** | 白瑞香（药用部位：根、茎皮。别名：软皮树、一朵云、小构皮）。

| **形态特征** | 灌木。叶长椭圆形至长圆形或长圆状披针形至倒披针形，长6 ~ 16 cm，宽1.5 ~ 4 cm。花白色，多花簇生成头状花序；花萼筒漏斗状；子房圆柱形，高2 ~ 4 mm，具长1 mm的子房柄，先端截形，无毛，花柱粗短。果实为浆果，成熟时红色，卵形或倒梨形，长0.8 ~ 1 cm，直径0.6 ~ 0.8 mm。花期11月至翌年1月，果期4 ~ 5月。

| **生境分布** | 生于海拔500 ~ 1 500 m的山谷中或路旁林中。分布于广东乐昌、乳源、连州、阳山、连山、曲江、从化、信宜。

| **资源情况** | 野生资源较少。药材主要来源于野生。

| **采收加工** | 夏、秋季采收，晒干。

| **功能主治** | 甘、淡、微辛，微温；有小毒。祛风除湿，活血止痛。用于风湿麻木，筋骨疼痛，跌打损伤，癫痫，月经不调，痛经，经期手足冷痛。

| **用法用量** | 根，内服煎汤，3～6g。茎皮，内服煎汤，3～6g。

| **凭证标本号** | 441823210204004LY。

瑞香科 Thymelaeaceae 结香属 Edgeworthia

结香 *Edgeworthia chrysantha* Lindl.

| 药 材 名 | 结香（药用部位：根、花蕾。别名：蒙花球、野蒙花、新蒙花）。

| 形态特征 | 灌木。叶椭圆状长圆形或椭圆状披针形，长 8 ~ 16 cm，宽 2 ~ 4.5 cm，基部楔形，下延，先端急尖或钝；叶面疏被柔毛，叶背被长硬毛。花黄色，多数，芳香，集成下垂的头状花序；总苞片披针形，长达 3 cm；花萼筒状，外面密被绢状柔毛，无花瓣；雄蕊 8，2 轮排列；子房椭圆形，先端被毛，花柱细长。核果卵形，通常包于花被基部。花期 3 ~ 4 月，果期约 8 月。

| 生境分布 | 生于海拔 600 ~ 1 400 m 的山坡、路旁、山谷林中。分布于广东乐昌、乳源、连州、连山、阳山、仁化。

| **资源情况** | 野生资源较少。药材主要来源于野生。 |

| **采收加工** | 夏、秋季采收，晒干。 |

| **功能主治** | 甘，温。根，舒筋活络，消肿止痛。用于风湿关节痛，腰痛；外用于跌打损伤，骨折。花蕾，祛风明目。用于目赤疼痛，夜盲。 |

| **用法用量** | 根，内服煎汤，9 ～ 15 g。花蕾，内服煎汤，6 ～ 9 g。外用适量，捣敷。 |

| **凭证标本号** | 郭素白 80016。 |

瑞香科 Thymelaeaceae 荛花属 Wikstroemia

了哥王

Wikstroemia indica (L.) C. A. Mey.

| 药 材 名 | 了哥王（药用部位：根或根皮、叶。别名：山雁皮、地棉皮、山棉皮）。

| 形态特征 | 灌木。叶对生，倒卵形、椭圆状长圆形或披针形，长 2 ~ 5 cm，宽 0.5 ~ 1.5 cm。花黄绿色，数朵组成顶生头状总状花序；花萼长 7 ~ 12 mm，近无毛，裂片 4，宽卵形至长圆形；子房倒卵形或椭圆形，无毛或先端被疏柔毛，花柱极短或近无，柱头头状；花盘鳞片通常 2 或 4。果实椭圆形，长 7 ~ 8 mm，成熟时红色至暗紫色。花果期夏、秋季。

| 生境分布 | 生于海拔 1 500 m 以下的山谷、路旁、灌丛、旷野、田边等。广东各地均有分布。

| 资源情况 | 野生资源较丰富。药材主要来源于野生。

| 采收加工 | 夏、秋季采收，晒干。

| 功能主治 | 微苦、辛，寒；有大毒。消炎止痛，拔毒，止痒。用于跌打损伤，风湿骨痛，恶疮，烂肉溃疡，淋巴结结核，哮喘，腮腺炎，扁桃体炎，毒蛇、蜈蚣咬伤，疥癣等。

| 用法用量 | 根、叶，内服煎汤，15 ~ 20 g，内服宜久煎。外用适量，鲜品捣敷；或干品浸酒敷。根皮，内服煎汤，9 ~ 20 g。

| 凭证标本号 | 441523190517005LY。

小黄构

Wikstroemia micrantha Hemsl. [*Wikstroemia micrantha* Hemsl. var. *paniculata* (Li) S. C. Huang]

| **药 材 名** | 小黄构（药用部位：根、茎皮。别名：圆锥荛花、小雀儿麻、耗子皮）。

| **形态特征** | 灌木。叶长圆形、椭圆状长圆形或窄长圆形，长 0.5 ~ 4 cm，宽 0.3 ~ 1.7 cm。总状花序组成小圆锥花序；花黄色，疏被柔毛，花萼近肉质，长 4 ~ 6 mm，先端 4 裂，裂片广卵形；雄蕊 8，2 列，花药线形；花盘鳞片小，近长方形，先端不整齐或为分离的 2 ~ 3 线形鳞片；子房倒卵形，先端被柔毛，花柱短，柱头头状。果实卵圆形，黑紫色。花果期秋、冬季。

| **生境分布** | 生于山坡灌丛、路旁或河边。分布于广东乳源、乐昌、高要、阳春、英德。

| **资源情况** | 野生资源较少。药材主要来源于野生。

| **采收加工** | 全年均可采收，洗净，切段，晒干。

| **功能主治** | 甘，平。止咳化痰，清热解毒。用于咳喘，百日咳，痈肿疮毒，风火牙痛。

| **用法用量** | 内服煎汤，9 ～ 15 g。

| **凭证标本号** | 石国良 2430。

瑞香科 Thymelaeaceae 荛花属 *Wikstroemia*

北江荛花 *Wikstroemia monnula* Hance

| **药 材 名** | 北江荛花（药用部位：根）。

| **形态特征** | 灌木。叶卵状椭圆形至椭圆形或椭圆状披针形，长 1 ~ 3.5 cm，宽 0.5 ~ 1.5 cm。总状花序；花黄色带紫色或淡红色；花萼外面被白色柔毛，长 0.9 ~ 1.1 cm，先端 4 裂，裂片先端微钝；子房具柄，先端密被柔毛；花柱短，柱头球形，顶基压扁；花盘鳞片 1 ~ 2，线状长圆形或长方形，先端啮蚀状。果实干燥，卵圆形，基部为宿存花萼所包被。花期 4 ~ 8 月，随即结果。

| **生境分布** | 生于海拔 400 ~ 800 m 的山谷溪旁林下或山顶灌丛。分布于广东乐昌、乳源、南雄、和平、龙门、博罗、高要、怀集、广宁、阳春及广州（市区）。

| **资源情况** | 野生资源较丰富。药材主要来源于野生。

| **采收加工** | 全年均可采挖，鲜用。

| **功能主治** | 辛、苦，平。通经活络，祛风除湿，收敛。外用于风湿痹痛。

| **用法用量** | 外用适量，鲜品捣敷。

| **凭证标本号** | 440281190627042LY。

瑞香科 Thymelaeaceae 荛花属 Wikstroemia

细轴荛花 *Wikstroemia nutans* Champ. ex Benth.

| 药 材 名 | 细轴荛花（药用部位：根、茎皮。别名：垂穗荛花、金腰带）。

| 形态特征 | 灌木。叶对生，卵形、卵状椭圆形至卵状披针形，长 3 ~ 6（~ 8.5）cm，宽 1.5 ~ 2.5（~ 4）cm。总状花序；花黄绿色；花萼筒长 1.3 ~ 1.6 cm；子房具柄，倒卵形，长约 1.5 mm，先端被毛，花柱极短，柱头头状；花盘鳞片 2，每鳞片中间有 1 隔膜。果实椭圆形，长约 7 mm，成熟时深红色。花期春季至夏初，果期夏、秋季。

| 生境分布 | 生于山地疏林或灌丛。广东各地均有分布。

| 资源情况 | 野生资源较丰富。药材主要来源于野生。

采收加工	全年均可采收，鲜用。
功能主治	辛，温；有毒。消坚破瘀，止血镇痛。用于瘰疬初起。
用法用量	外用适量，鲜根、茎皮与红糖共捣敷。
凭证标本号	441825190502005LY。

黄细心
Boerhavia diffusa L.

| 药 材 名 | 黄细心（药用部位：根。别名：沙参）。

| 形态特征 | 草本。叶卵形，长 1 ～ 5 cm，宽 1 ～ 4 cm。头状聚伞圆锥花序；花被淡红色或亮紫色，长 2.5 ～ 3 mm，花被筒上部钟形，长 1.5 ～ 2 mm，薄而微透明，被疏柔毛，具 5 肋，先端折皱，浅 5 裂，下部倒卵形，长 1 ～ 1.2 mm，具 5 肋，被疏柔毛及黏腺；子房倒卵形，花柱细长，柱头浅帽状。果实棍棒状，长 3 ～ 3.5 mm，具 5 棱，有黏腺和疏柔毛。花果期夏、秋季。

| 生境分布 | 生于空旷地上。分布于广东惠阳、惠东、斗门、台山、阳东、阳西、电白、高州、徐闻及广州（市区）、深圳（市区）。

| 资源情况 | 野生资源较丰富。药材主要来源于野生。

| 采收加工 | 夏、秋季采挖，晒干。 |

| 功能主治 | 苦、辛，温。活血散瘀，调经止带，健脾消疳。用于筋骨疼痛，月经不调，带下，胃纳不佳，脾肾虚水肿，小儿疳积。 |

| 用法用量 | 内服煎汤，3 ~ 9 g。 |

| 凭证标本号 | 440882180602077LY。 |

紫茉莉科 Nyctaginaceae 叶子花属 Bougainvillea

光叶子花 *Bougainvillea glabra* Choisy

药 材 名	宝巾（药用部位：花。别名：簕杜鹃、紫三角、三角花）。
形态特征	攀缘灌木。茎有长刺。叶卵形或卵状披针形，长 5 ~ 13 cm，宽 3 ~ 6 cm。花顶生于枝端的 3 苞片内，花梗与苞片中脉贴生，每苞片上生 1 花；苞片叶状，紫色或洋红色，长圆形或椭圆形，长 2.5 ~ 3.5 cm，宽约 2 cm，纸质；花被管长约 2 cm，淡绿色，疏生柔毛，有棱，先端 5 浅裂。花期冬、春季。
生境分布	广东无野生分布。广东各地均有栽培。
资源情况	常见栽培。药材主要来源于栽培。
采收加工	秋、冬季采收，晒干。

| **功能主治** | 苦、涩，温。调和气血。用于赤白带下，月经不调。

| **用法用量** | 内服煎汤，9 ～ 15 g。

| **凭证标本号** | 445224190728015LY。

紫茉莉科 Nyctaginaceae 叶子花属 Bougainvillea

叶子花 *Bougainvillea spectabilis* Willd.

| 药 材 名 | 叶子花（药用部位：叶、花。别名：宝巾、簕杜鹃、三角梅）。

| 形态特征 | 藤状灌木。枝、叶密生柔毛；刺腋生，下弯。叶片椭圆形或卵形，基部圆形，有柄。花序腋生或顶生；苞片椭圆状卵形，基部圆形至心形，长 2.5 ~ 6.5 cm，宽 1.5 ~ 4 cm，暗红色或淡紫红色；花被管狭筒形，长 1.6 ~ 2.4 cm，绿色，密被柔毛，先端 5 ~ 6 裂，裂片开展，黄色，长 3.5 ~ 5 mm；雄蕊通常 8；子房有柄。花期冬、春季。

| 生境分布 | 广东无野生分布。广东各地均有栽培。

| **资源情况** | 常见栽培。药材主要来源于栽培。 |

| **采收加工** | 叶，全年均可采收，晒干；花，冬、春季采收，晒干。 |

| **功能主治** | 止咳。用于感冒，咳嗽，气喘，气管炎，糖尿病，牙痛。 |

| **用法用量** | 内服煎汤，9 ~ 15 g。 |

| **凭证标本号** | 440523191003050LY。 |

紫茉莉
Mirabilis jalapa L.

| 药 材 名 | 紫茉莉（药用部位：块根。别名：胭脂花、胭粉豆）。

| 形态特征 | 草本。根肥粗，倒圆锥形。叶卵形或卵状三角形，长 3 ~ 15 cm，宽 2 ~ 9 cm。花常数朵簇生于枝端；总苞钟形，长约 1 cm，5 裂，裂片三角状卵形，先端渐尖，无毛，具脉纹，果时宿存；花被紫红色、黄色、白色或杂色，高脚碟状，筒部长 2 ~ 6 cm，檐部直径 2.5 ~ 3 cm，5 浅裂。瘦果球形，直径 5 ~ 8 mm，革质，黑色，表面具皱纹；种子胚乳白粉质。花期 6 ~ 10 月，果期 8 ~ 11 月。

| 生境分布 | 生于村边、旷地。广东各地均有栽种或逸为野生。

| 资源情况 | 常见栽培。药材主要来源于栽培。

| 采收加工 | 夏、秋季采挖，晒干。

| 功能主治 | 甘、淡，凉。清热利湿，活血调经，解毒消肿。用于扁桃体炎，月经不调，带下，宫颈柱状上皮异位，前列腺炎，尿路感染，风湿关节酸痛；外用于乳腺炎，跌打损伤，痈疖疔疮，湿疹。

| 用法用量 | 内服煎汤，9 ~ 15 g。外用适量，鲜品捣敷；或煎汤洗。孕妇忌用。

| 凭证标本号 | 440281200714001LY。

紫茉莉科 Nyctaginaceae 避霜花属 *Pisonia*

腺果藤
Pisonia aculeata L.

| 药 材 名 | 腺果藤（药用部位：茎皮、叶。别名：猪钩搭、栖头果、刺藤）。

| 形态特征 | 灌木。枝具下弯的粗刺。叶卵形至椭圆形，长 3 ~ 10 cm，宽 1.5 ~ 5 cm。花单性，雌雄异株，成聚伞圆锥花序，被黄褐色短柔毛；花梗近先端具 3 卵形小苞片；花被黄色，芳香；雄花花被筒漏斗状，被微柔毛，先端 5 浅裂，裂片短三角形，雄蕊 6 ~ 8，伸出，花药近球形；雌花花被筒卵状圆筒形，先端 5 浅裂，花柱伸出，柱头分裂。果实棍棒形。花期 1 ~ 6 月。

| 生境分布 | 生于海岸旷野、灌丛中。分布于广东徐闻及潮州（市区）。

| 资源情况 | 野生资源较少。药材主要来源于野生。

采收加工	全年均可采收，鲜用。
功能主治	祛风，止痛。外用于无名肿毒，风湿疼痛。
用法用量	外用适量，鲜品捣敷。
凭证标本号	440882180513014LY。

山龙眼科 Proteaceae 银桦属 *Grevillea*

银桦
Grevillea robusta A. Cunn. ex R. Br.

| **药 材 名** | 银桦（药用部位：树皮）。

| **形态特征** | 乔木。叶 2 回羽状深裂，裂片 7 ~ 15 对。总状花序，长 7 ~ 14 cm，腋生，或排成少分枝的顶生圆锥花序；花橙色或黄褐色；花被管长约 1 cm，顶部卵球形，下弯；花药卵球状，长 1.5 mm；花盘半环状；子房具子房柄，花柱顶部圆盘状，稍偏于一侧，柱头锥状。果实卵状椭圆形，稍偏斜，长约 1.5 cm，直径约 7 mm，果皮革质，黑色，宿存花柱弯；种子长盘状，边缘具窄薄翅。花期 3 ~ 5 月，果期 6 ~ 8 月。

| **生境分布** | 广东无野生分布。广东各地均有栽培。

| 资源情况 | 有少量栽培。药材主要来源于栽培。

| 采收加工 | 全年均可采收，晒干。

| 功能主治 | 清热利湿，解毒。用于急性扁桃体炎，支气管炎，肺炎，肠炎，痢疾，肝炎，尿少色黄，急性乳腺炎。

| 用法用量 | 内服煎汤，9 ~ 15 g。

| 凭证标本号 | 441422190723640LY。

山龙眼科 Proteaceae 山龙眼属 Helicia

小果山龙眼
Helicia cochinchinensis Lour.

| 药 材 名 | 小果山龙眼（药用部位：根、叶。别名：越南山龙眼、羊屎果、红叶树）。

| 形态特征 | 乔木。叶长圆形、倒卵状椭圆形、长椭圆形或披针形，长 5 ～ 12 cm，宽 2.5 ～ 4 cm。总状花序；花被管长 10 ～ 12 mm，白色或淡黄色；花药长 2 mm；腺体 4，有时连生成 4 深裂的花盘；子房无毛。果实椭圆状，长 1 ～ 1.5 cm，直径 0.8 ～ 1 cm，果皮干后薄革质，厚不及 0.5 mm，蓝黑色或黑色。花期 6 ～ 10 月，果期 11 月至翌年 3 月。

| 生境分布 | 生于山地林中。广东各地均有分布。

| 资源情况 | 野生资源较丰富。药材主要来源于野生。

| **采收加工** | 夏、秋季采收，晒干。

| **功能主治** | 苦，凉。行气活血，祛瘀止痛。外用于跌打损伤，肿痛，外伤出血。

| **用法用量** | 外用适量，鲜品捣汁；或干叶研末，冷开水调涂。孕妇忌用。

| **凭证标本号** | 441825190411009LY。

山龙眼科 Proteaceae 山龙眼属 *Helicia*

网脉山龙眼

Helicia reticulata W. T. Wang

| 药 材 名 | 网脉山龙眼（药用部位：根、叶。别名：豆腐渣果）。

| 形态特征 | 乔木。叶长圆形、卵状长圆形、倒卵形或倒披针形，长 6 ~ 27 cm，宽 3 ~ 10 cm。总状花序；花浅黄白色，花梗长 3 ~ 5 mm，基部或下半部彼此贴生；苞片披针形，长 1.5 ~ 2 mm，小苞片长约 0.5 mm；花被管长 13 ~ 16 mm，白色或浅黄色；花药长 3 mm；花盘 4 裂；子房无毛。果实椭圆状，长 1.5 ~ 1.8 cm，直径约 1.5 cm，先端具短尖，果皮干后革质，厚约 1 mm，黑色。花期 5 ~ 7 月，果期 10 ~ 12 月。

| 生境分布 | 生于山地林中。广东各地山区均有分布。

| 资源情况 | 野生资源较丰富。药材主要来源于野生。

| **采收加工** | 夏、秋季采收，晒干。 |

| **功能主治** | 涩，凉。收敛，消炎解毒。用于肠炎腹泻，食物中毒，蕈中毒，农药"六六六"中毒。 |

| **用法用量** | 内服煎汤，9～15g。 |

| **凭证标本号** | 445222181216004LY。 |

山龙眼科 Proteaceae 假山龙眼属 Heliciopsis

疟腮树
Heliciopsis terminalis (Kurz) Sleum.

| 药 材 名 | 疟腮树（药用部位：根皮、叶。别名：硬壳果、老鼠核桃、调羹树）。

| 形态特征 | 乔木。叶二型；全缘叶倒披针形或长圆形，长 15 ~ 35 cm，宽 4 ~ 10 cm；分裂叶近椭圆形，长 25 ~ 55 cm，宽 15 ~ 50 cm，通常 3 ~ 5 裂，有时具 3 ~ 7 对羽状深裂片。花雌雄异序；雄花花被管长 11 ~ 14 mm，白色或淡黄色；雌花花被管长约 12 mm；子房卵状。果实椭圆状，长 3 ~ 4.5 cm。花期 3 ~ 6 月，果期 8 ~ 11 月。

| 生境分布 | 生于山地林中。分布于广东高州。

| 资源情况 | 野生资源较少。药材主要来源于野生。

采收加工	全年均可采收，鲜用。
功能主治	淡、涩，凉；有小毒。清热解毒。外用于腮腺炎。
用法用量	外用适量，鲜品捣敷。
凭证标本号	邓良 2132。

第伦桃科 Dilleniaceae 第伦桃属 *Dillenia*

五室第伦桃 *Dillenia pentagyna* Roxb.

| 药 材 名 | 五室第伦桃（药用部位：果实。别名：五室五桠果、小花第伦桃）。

| 形态特征 | 乔木。叶长椭圆形或倒卵状长椭圆形，长 20 ～ 60 cm，宽 10 ～ 25 cm。花数朵簇生于老枝的短侧枝上；萼片绿色，椭圆形；花瓣黄色，长倒卵形，长 1.5 ～ 2 cm，宽 8 mm；心皮 5 或 6，长 3.5 ～ 4 mm。果实近球形，不开裂，直径 1.5 ～ 2 cm，成熟时黄红色，每成熟心皮有种子 1 ～ 2；种子卵圆形，长 5 mm，宽 3.5 mm，黑色，无假种皮。花期 4 ～ 5 月。

| 生境分布 | 广东无野生分布。广东珠江三角洲有栽培。

| **资源情况** | 有少量栽培。药材主要来源于栽培。 |

| **采收加工** | 秋、冬季果实成熟时采收，晒干。 |

| **功能主治** | 甘、酸，平。化痰止咳。用于咳嗽气逆，咯痰不爽，肺虚久咳，痰中带血。 |

| **用法用量** | 内服煎汤，6 ～ 12 g。 |

| **凭证标本号** | 叶华谷等 205。 |

第伦桃科 Dilleniaceae 锡叶藤属 *Tetracera*

锡叶藤 *Tetracera sarmentosa* Vahl.

| 药 材 名 | 锡叶藤（药用部位：根、叶、藤。别名：涩叶藤、红藤头）。

| 形态特征 | 藤本。叶极粗糙，长圆形，长 4 ~ 12 cm，宽 2 ~ 5 cm。圆锥花序；花多数，直径 6 ~ 8 mm；萼片 5，离生，宿存，广卵形，大小不相等；花瓣 3，白色，卵圆形，约与萼片等长；心皮 1，无毛，花柱突出雄蕊之外。果实长约 1 cm，成熟时黄红色，干后果皮薄革质，稍发亮，有残存花柱；种子 1，黑色，基部有黄色流苏状的假种皮。花期 4 ~ 5 月。

| 生境分布 | 生于低海拔山地疏林和灌丛中。分布于广东陆河、陆丰、惠东、博罗、龙门、从化、云浮至连山、怀集以南及清远（市区）、深圳（市区）。

| **资源情况** | 野生资源较丰富。药材主要来源于野生。 |

| **采收加工** | 夏、秋季采收，晒干。 |

| **功能主治** | 酸、涩，平。收敛止泻，消肿止痛。用于腹泻，便血，肝脾肿大，子宫脱垂，带下，风湿关节痛。 |

| **用法用量** | 内服煎汤，15 ~ 30 g。 |

| **凭证标本号** | 441523200109006LY。 |

窄叶聚花海桐 *Pittosporum balansae* DC. var. *angustifolium* Gagnep.

| 药 材 名 | 窄叶聚花海桐（药用部位：根、叶、种子。别名：皱叶海桐）。

| 形态特征 | 灌木。叶狭披针形，长 7 ~ 11 cm，宽 1 ~ 1.5 cm。伞形花序顶生，被

毛，有短梗；萼片披针形，长 5 ~ 6 mm，被短柔毛；花瓣长 8 mm，白色或淡黄色；雄蕊长 6 mm；子房被毛，心皮 2，侧膜胎座 2，每胎座有胚珠 4。蒴果扁椭圆形。

| **生境分布** | 生于山地常绿阔叶林。分布于广东信宜。

| **资源情况** | 野生资源较少。药材主要来源于野生。

| **采收加工** | 夏、秋季采收根、叶，秋、冬季采收种子，晒干。

| **功能主治** | 根，苦，温。祛风活络，散瘀止痛。用于风湿性关节炎，坐骨神经痛，骨折，胃痛，牙痛，高血压，神经衰弱，梦遗滑精。叶，解毒，止血。外用于毒蛇咬伤，疮疖，外伤出血。种子，苦，寒。涩肠固精。用于咽痛，肠炎，带下，滑精。

| **用法用量** | 根，内服煎汤，15 ~ 30 g。叶，外用适量，鲜品捣敷。种子，内服煎汤，4.5 ~ 9 g。

海桐花科 Pittosporaceae 海桐花属 Pittosporum

短萼海桐
Pittosporum brevicalyx (Oliv.) Gagnep.

| **药 材 名** | 短萼海桐（药用部位：树皮。别名：万里香、山桂花）。 |

| **形态特征** | 灌木或小乔木。叶倒卵状披针形，稀倒卵形或长圆形，长 5 ～ 12 cm，宽 2 ～ 4 cm。伞房花序；萼片长约 2 mm，卵状披针形，有微毛；花瓣长 6 ～ 8 mm，分离；雄蕊比花瓣略短，有时仅为花瓣的 1/2；子房卵形，被毛，花柱被微毛，侧膜胎座 2，胚珠 7 ～ 10。蒴果近圆球形，压扁，直径 7 ～ 8 mm，2 裂开，果片薄。 |

| **生境分布** | 生于山地疏林。分布于广东乐昌、乳源、连州。 |

| **资源情况** | 野生资源较少。药材主要来源于野生。 |

| **采收加工** | 夏、秋季采收，晒干。 |

| 功能主治 | 辛、苦，凉。祛风活血，消肿镇痛，解毒。用于小儿惊风，腰痛，跌打损伤，疔疮肿毒，毒蛇咬伤。

| 用法用量 | 内服煎汤，15 ~ 30 g。外用适量，研末调敷。

| 凭证标本号 | 441882180410008LY。

海桐花科 Pittosporaceae 海桐花属 Pittosporum

光叶海桐
Pittosporum glabratum Lindl.

| 药 材 名 |　光叶海桐（药用部位：根、叶、种子。别名：山枝条、山枝仁、长果满天香）。

| 形态特征 |　灌木。叶窄长圆形或倒披针形，长 5 ~ 10 cm，宽 2 ~ 3.5 cm。花序伞形；萼片卵形；花瓣分离，倒披针形，长 8 ~ 10 mm；子房长卵形，无毛，花柱长 3 mm。蒴果椭圆形，长 2 ~ 2.5 cm，有时为长筒形，长达 3.2 cm，3 片裂开，果片薄，革质，每片有种子约 6，均匀分布于纵长的胎座上。花期 4 ~ 5 月，果期秋后。

| 生境分布 |　生于山地常绿阔叶林。分布于广东乐昌、南雄、曲江、阳山、始兴、连南、英德、翁源、新丰、从化、惠东、惠阳、大埔、饶平、博罗、龙门、和平、斗门、怀集、封开、新兴、高要、高州、郁南、阳春、台山、信宜及清远（市区）、云浮（市区）、深圳（市区）。

| **资源情况** | 野生资源较丰富。药材主要来源于野生。 |

| **采收加工** | 根、叶,夏、秋季采收,晒干;种子,秋、冬季采收,晒干。 |

| **功能主治** | 根,苦,温。祛风活络,散瘀止痛。用于风湿性关节炎,坐骨神经痛,骨折,胃痛,牙痛,高血压,神经衰弱,梦遗滑精。叶,苦、辛,微温。解毒,止血。外用于毒蛇咬伤,疮疖,外伤出血。种子,苦,寒。涩肠固精。用于咽痛,肠炎,带下,滑精。 |

| **用法用量** | 根,内服煎汤,15 ~ 30 g。叶,外用适量,鲜品捣敷。种子,内服煎汤,4.5 ~ 9 g。 |

| **凭证标本号** | 441825210313027LY。 |

狭叶海桐

Pittosporum glabratum Lindl. var. *neriifolium* Rehd. et Wils.

| 药 材 名 | 狭叶海桐（药用部位：种子。别名：斩蛇剑、狭叶崖花子）。

| 形态特征 | 常绿灌木，高达 2 m。嫩枝无毛，老枝有皮孔。叶带状或狭披针形，长 6 ~ 18 cm 或更长，宽 1 ~ 2 cm，无毛；叶柄长 5 ~ 12 mm。伞形花序顶生，有花多朵；花梗长约 1 cm，有微毛；萼片长 2 mm，有睫毛；花瓣长 8 ~ 12 mm；雄蕊比花瓣短；子房无毛。蒴果长 2 ~ 2.5 cm，子房柄不明显，3 裂开；种子红色，长 6 mm。

| 生境分布 | 生于山地常绿阔叶林。分布于广东乐昌、乳源、龙门、从化、增城、海丰、高要、阳春、封开、信宜。

| 资源情况 | 野生资源较少。药材主要来源于野生。

采收加工	秋、冬季采收，晒干。
功能主治	辛，热；有毒。祛风，燥湿，杀虫止痒。用于湿热黄疸，麻风，癫疾，梅毒恶疮，疥癣等。
用法用量	内服煎汤，15 ~ 30 g。阴虚血热者禁用。
凭证标本号	441322160402054LY。

■海桐花科■ Pittosporaceae ■海桐花属■ *Pittosporum*

金海子

Pittosporum illicioides Makino

| 药 材 名 | 金海子（药用部位：根。别名：崖花子、崖花海桐、狭叶海金子）。

| 形态特征 | 灌木。叶倒卵状披针形或倒披针形，5 ~ 10 cm，宽 2.5 ~ 4.5 cm。伞形花序顶生；萼片卵形；花瓣长 8 ~ 9 mm；子房长卵形。蒴果近圆形，长 9 ~ 12 mm，多少三角形，或有纵沟 3，子房柄长 1.5 mm，3 裂开，果片薄木质；种子 8 ~ 15，长约 3 mm，种柄短而扁平，长 1.5 mm；果柄纤细，长 2 ~ 4 cm，常向下弯。

| 生境分布 | 生于山地常绿阔叶林。分布于广东始兴、乐昌、怀集、大埔、蕉岭、连平、和平、阳山、连山、连州等。

| 资源情况 | 野生资源较少。药材主要来源于野生。

| **采收加工** | 夏、秋季采挖，晒干。 |

| **功能主治** | 辛、苦，温。活络止痛，宁心益肾，解毒。用于风湿痹痛，骨折，胃痛，失眠，遗精，毒蛇咬伤。 |

| **用法用量** | 内服煎汤，15～30 g。外用适量，鲜品捣敷。 |

| **凭证标本号** | 440281200709038LY。 |

海桐花科 Pittosporaceae 海桐花属 *Pittosporum*

薄萼海桐

Pittosporum leptosepalum Gowda

| 药 材 名 | 薄萼海桐（药用部位：根皮）。

| 形态特征 | 灌木。叶长圆形或披针形，长 5 ~ 8 cm，宽 1.5 ~ 2.5 cm。花数朵生于枝顶叶腋内，排成伞状；萼片线状披针形；花瓣分离，淡黄白色；雌蕊与雄蕊等长，子房被毛，子房柄短，花柱长 2.5 mm；侧膜胎座 2，胚珠 11 ~ 12。蒴果圆球形，宽 6 ~ 8 mm，2 裂开，果片薄，内侧有横格，胎座位于果片下半部；种子 10，长约 3 mm，种柄极短。

| 生境分布 | 生于山地常绿阔叶林。分布于广东乐昌、连南、阳山。

| 资源情况 | 野生资源较少。药材主要来源于野生。

| 采收加工 | 夏、秋季采收，晒干。 |

| 功能主治 | 辛、苦，温。祛风湿。用于风湿痹痛。 |

| 用法用量 | 内服煎汤，20～30 g。 |

| 凭证标本号 | 441882180814009LY。 |

海桐花科 Pittosporaceae 海桐花属 Pittosporum

少花海桐 *Pittosporum pauciflorum* Hook. et Arn.

| 药 材 名 | 少花海桐（药用部位：根。别名：邦博、满山香、山石榴）。

| 形态特征 | 灌木。叶狭矩圆形或狭倒披针形，长 5 ~ 8 cm，宽 1.5 ~ 2.5 cm。花 3 ~ 5 生于枝顶叶腋内，呈假伞状；萼片窄披针形；花瓣长 8 ~ 10 mm。蒴果椭圆形或卵形，长约 1.2 cm，被疏毛，3 片裂开，果片阔椭圆形，厚约 1 mm，木质，胎座位于果片中部，各有种子 5 ~ 6；种子红色，长 4 mm，种柄长 2 mm，稍压扁。

| 生境分布 | 生于山地常绿阔叶林。分布于广东乳源、连州、连山、连南、阳山、英德、花都、平远、蕉岭、梅县、兴宁、大埔、丰顺、饶平、博罗、惠阳、新会、广宁、阳春、阳西及清远（市区）。

| **资源情况** | 野生资源较丰富。药材主要来源于野生。

| **采收加工** | 夏、秋季采挖，晒干。

| **功能主治** | 辛、苦，温。祛风活络，散寒止痛。用于风湿神经痛，坐骨神经痛，牙痛，胃痛，毒蛇咬伤。

| **用法用量** | 内服煎汤，10～15 g。

| **凭证标本号** | 441825190414012LY。

海桐花科 Pittosporaceae 海桐花属 Pittosporum

海桐

Pittosporum tobira (Thunb.) Ait.

| 药 材 名 | 海桐（药用部位：叶。别名：海桐花、七里香、宝珠香）。

| 形态特征 | 灌木或小乔木。叶倒卵形或倒卵状披针形，长4～9 cm，宽1.5～4 cm。伞形花序，花白色，有芳香，后变黄色；萼片卵形；花瓣倒披针形；子房长卵形。蒴果圆球形，有棱或呈三角形，直径12 mm，多少有毛，子房柄长1～2 mm，3片裂开，果片木质，厚1.5 mm，内侧黄褐色，有光泽，具横格；种子多数，长4 mm，多角形，红色，种柄长约2 mm。

| 生境分布 | 生于山地林中。分布于广东深圳（市区）。广东各地均有栽培。

| 资源情况 | 野生资源较少。常见栽培。药材主要来源于栽培。

| 采收加工 | 全年均可采收，鲜用。

| 功能主治 | 苦，凉。杀虫，解毒。外用于疥疮，肿毒。

| 用法用量 | 外用适量，鲜品捣敷；或煎汤洗。

| 凭证标本号 | 440523190724003LY。

红木科 Bixaceae 红木属 *Bixa*

红木 *Bixa orellana* L.

| 药 材 名 |

红木（药用部位：种子。别名：胭脂木）。

| 形态特征 |

小乔木。叶心状卵形或三角状卵形，长
10 ～ 20 cm，宽 5 ～ 15 cm。圆锥花序，密
被红棕色的鳞片和腺毛；萼片 5，倒卵形，
外面密被红褐色鳞片，基部有腺体；花瓣 5，
倒卵形，粉红色；子房上位，1 室，胚珠多数，
生于 2 侧膜胎座上，花柱单一，柱头 2 浅裂。
蒴果近球形或卵形，长 2.5 ～ 4 cm，密生栗
褐色长刺，刺长 1 ～ 2 cm，2 瓣裂；种子多
数，倒卵形，暗红色。

| 生境分布 |

广东无野生分布。广东斗门、高要、高州及
广州（市区）、深圳（市区）有栽培。

| 资源情况 |

有少量栽培。药材主要来源于栽培。

| 采收加工 |

冬季采收，晒干。

| **功能主治** | 收敛，退热。用于发热。

| **用法用量** | 内服煎汤，10 ~ 15 g。

| **凭证标本号** | 叶华谷 086。

大风子科 Flacourtiaceae 山桂花属 *Bennettiodendron*

短柄山桂花 *Bennettiodendron brevipes* Merr.

| 药 材 名 | 短柄山桂花（药用部位：茎皮、叶。别名：短柄勒木）。

| 形态特征 | 灌木或小乔木。叶长圆状披针形至倒卵状披针形，长 5 ~ 12 cm，宽 2 ~ 5 cm。圆锥花序；雄花萼片椭圆状卵形，雄蕊多数；雌花萼片较雄花的稍小，退化雄蕊多数，子房卵形，长约 4 mm，不完全 3 室，每胎座上有胚珠 2 ~ 4，花柱 3 ~ 4，柱头头状，稍 2 裂。浆果圆形，直径 3 ~ 4 mm，成熟时朱红色；种子 1，子叶绿色。花期春季，果期 7 ~ 10 月。

| 生境分布 | 生于山谷林中。分布于广东乐昌、乳源、连州、连山、连南、南雄、始兴、仁化、英德、阳山、从化、罗定、怀集、德庆、阳春、信宜。

| **资源情况** | 野生资源较少。药材主要来源于野生。 |

| **采收加工** | 全年均可采收，晒干。 |

| **功能主治** | 助消化。用于消化不良。 |

| **用法用量** | 内服煎汤，15 ~ 20 g。 |

| **凭证标本号** | 441825190801029LY。 |

大风子科 Flacourtiaceae 山桂花属 Bennettiodendron

山桂花

Bennettiodendron leprosipes (Clos) Merr.

| 药 材 名 | 山桂花 (药用部位: 树皮、叶。别名: 广东勒木、木勒木、短柄本勒木)。

| 形态特征 | 小乔木。叶倒卵状长圆形或长圆状椭圆形, 长 4 ~ 18 cm, 宽 3.5 ~ 7 cm。圆锥花序; 花浅灰色或黄绿色, 有芳香; 萼片卵形; 雄花有多数雄蕊; 雌花子房长圆形, 无毛, 两端尖, 不完全 3 室, 每胎座上有 2 至多颗胚珠, 花柱通常 3, 柱头长圆形, 稍凹。浆果成熟时红色至黄红色, 球形, 发亮, 直径 5 ~ 8 mm; 种子 1 ~ 2, 扁圆形或球形, 子叶黄绿色。花期 2 ~ 6 月, 果期 4 ~ 11 月。

| 生境分布 | 生于山谷林中。分布于广东阳春、化州。

| **资源情况** | 野生资源较少。药材主要来源于野生。 |

| **采收加工** | 全年均可采收，鲜用。 |

| **功能主治** | 清热解毒，消炎，止血生肌。外用于外伤出血，扭伤疼痛。 |

| **用法用量** | 外用适量，鲜品捣敷。 |

| **凭证标本号** | 441882190617010LY。 |

大风子科 Flacourtiaceae 刺篱木属 Flacourtia

刺篱木

Flacourtia indica (Burm. f.) Merr.

| **药材名** | 刺篱木（药用部位：果实。别名：细祥莉果、刺子）。

| **形态特征** | 灌木或小乔木。树干和大枝条有长刺。叶倒卵形至长圆状倒卵形。花小，总状花序短；萼片卵形；花瓣缺；雄花雄蕊多数；雌花花盘全缘或近全缘，子房球形，侧膜胎座 5 ~ 6，每胎座上有叠生的胚珠 2，花柱 5 ~ 6，长约 1 mm，分离或基部合生，柱头细长，2 裂。浆果球形或椭圆形，直径 0.8 ~ 1.2 cm，有纵裂 5 ~ 6，有宿存花柱；种子 5 ~ 6。花期春季，果期夏、秋季。

| **生境分布** | 生于低海拔旷野、灌丛中。分布于广东徐闻、雷州。

| **资源情况** | 野生资源较少。药材主要来源于野生。

| **采收加工** | 夏、秋季采收，晒干。

| **功能主治** | 甘、酸，凉。消食，化湿。用于消化不良，湿疹，风湿病，便秘。

| **用法用量** | 内服煎汤，9 ~ 15 g。

| **凭证标本号** | 440882180430099LY。

大风子科 Flacourtiaceae 刺篱木属 Flacourtia

大叶刺篱木 *Flacourtia rukam* Zoll. et Mor.

| **药 材 名** | 大叶刺篱木（药用部位：幼果。别名：罗庚果、罗庚梅、牛牙果）。

| **形态特征** | 乔木。叶卵状长圆形或椭圆状长圆形，长 8 ～ 15 cm，宽 4 ～ 7 cm。圆锥花序；花瓣缺；雄花雄蕊多数，花丝丝状，长 3 ～ 4 mm，花药小，黄色；雌花子房瓶状。浆果球形至扁球形或卵球形，直径 2 ～ 2.5 cm，干后有 4 ～ 6 沟槽或棱角；果柄长 5 ～ 8 mm，亮绿色至桃红色或紫绿色至深红色，果肉带白色，先端有宿存花柱；种子约 12。花期 4 ～ 5 月，果期 6 ～ 10 月。

| **生境分布** | 生于山谷林中。分布于广东博罗、高要、信宜、恩平、阳西、阳春、新兴、高州。

| 资源情况 | 野生资源较少。药材主要来源于野生。

| 采收加工 | 夏季采收，晒干。

| 功能主治 | 微涩、苦，平。止泻。用于慢性腹泻。

| 用法用量 | 内服煎汤，9 ~ 12 g。

| 凭证标本号 | 叶华谷、刘念 13。

大风子科 Flacourtiaceae 大风子属 Hydnocarpus

泰国大风子

Hydnocarpus anthelminthica Pierre et Gagnep.

| **药 材 名** | 大风子（药用部位：种子）。

| **形态特征** | 大乔木。叶卵状披针形或卵状长圆形，长 10 ～ 30 cm，宽 3 ～ 8 cm。萼片 5，基部合生，卵形；花瓣 5，基部近离生，卵状长圆形，长 1.2 ～ 1.5 cm；雄花 2 ～ 3，成假聚伞花序或总状花序，雄蕊 5；雌花单生或 2 簇生，黄绿色或红色，有芳香，子房卵形或倒卵形。浆果球形，直径 8 ～ 12 cm，果柄初期密被黑色毛，逐渐脱落近无毛，外果皮木质，质脆；种子多数。花期 9 月，果期 11 月至翌年 6 月。

| **生境分布** | 广东无野生分布。广东广州（市区）、湛江（市区）有栽培。

| **资源情况** | 有少量栽培。药材主要来源于栽培。

| **采收加工** | 夏季采收，晒干。 |

| **功能主治** | 辛，热；有毒。祛风，燥湿，杀虫止痒。用于麻风，癫疾，梅毒恶疮，疥癣。 |

| **用法用量** | 内服煎汤，1～3 g。阴虚者禁用。 |

| **凭证标本号** | 罗献瑞 903。 |

大风子科 Flacourtiaceae 大风子属 Hydnocarpus

海南大风子

Hydnocarpus hainanensis (Merr.) Sleum.

| **药 材 名** | 海南大风（药用部位：种子。别名：海南麻风树、乌壳子、高根）。 |

| **形态特征** | 乔木。叶长圆形，长 9 ~ 13 cm，宽 3 ~ 5 cm。总状花序，长 1.5 ~ 2.5 cm；萼片 4，椭圆形；花瓣 4，肾状卵形；雄花雄蕊约 12，花丝基部粗壮，有疏短毛，花药长圆形，长 1.5 ~ 2 mm；雌花子房卵状椭圆形，密生黄棕色绒毛。浆果球形，直径 4 ~ 5 cm，密生棕褐色茸毛，果皮革质，果柄粗壮，长 6 ~ 7 mm；种子约 20，长约 1.5 cm。花期春末至夏季，果期夏、秋季。 |

| **生境分布** | 广东无野生分布。广东深圳（市区）、广州（市区）有引种栽培。 |

| **资源情况** | 有少量栽培。药材主要来源于栽培。 |

| **采收加工** | 夏季采收，晒干。

| **功能主治** | 辛，热；有毒。祛风，燥湿，杀虫止痒。用于麻风，梅毒，诸疮肿毒，疥癣，手背皲裂。

| **用法用量** | 外用适量，研末调敷。阴虚者禁用。

| **凭证标本号** | 李泽贤、邢福武 85。

大风子科 Flacourtiaceae 山桐子属 Idesia

山桐子 *Idesia polycarpa* Maxim.

| 药 材 名 |

山桐子（药用部位：果实。别名：斗霜红、椅桐、椅树）。

| 形态特征 |

乔木。叶卵形、心状卵形或宽心形，长13 ~ 18 cm，宽12 ~ 15 cm；叶柄下部有2 ~ 4紫色的扁平腺体。花单性，雌雄异株或杂性，黄绿色，有芳香，花瓣缺，排列成顶生下垂的圆锥花序；萼片长卵形，密被毛；雌花通常6，卵形；子房上位，圆球形。浆果成熟期紫红色，扁圆形，高3 ~ 5 mm，直径5 ~ 7 mm，宽超过长；果柄细小，长0.6 ~ 2 cm；种子红棕色，圆形。花期4 ~ 5月，果期10 ~ 11月。

| 生境分布 |

生于山地林中。分布于广东乐昌、乳源、连州、连山、连南、南雄、始兴、仁化、英德、阳山、翁源、新丰、连平、和平、龙门。

| 资源情况 |

野生资源较丰富。药材主要来源于野生。

| **采收加工** | 夏季采收，晒干。

| **功能主治** | 苦、涩，凉。清热利湿，散瘀止血。用于麻风，神经性皮炎，风湿病，手癣。

| **用法用量** | 外用适量，研末调敷。

| **凭证标本号** | 440281190427002LY。

大风子科 Flacourtiaceae 箣柊属 Scolopia

箣柊
Scolopia chinensis (L.) Clos

| 药 材 名 | 箣柊（药用部位：全株。别名：有簕鸡刺）。

| 形态特征 | 小乔木或灌木。叶椭圆形至长圆状椭圆形，长4~7 cm，宽2~4 cm。总状花序；花小，淡黄色；萼片4~5，卵状三角形；花瓣倒卵状长圆形，比萼片长，边缘有睫毛；花盘肉质，10裂；子房卵形，无毛，1室，侧膜胎座2~3，每胎座上有悬垂的胚珠2，花柱丝状，与雄蕊等长，柱头稍呈三角形。浆果圆球形，直径4 mm；种子2~6。花期秋末冬初，果期晚冬。

| 生境分布 | 生于荫蔽的丛林或疏林。分布于广东饶平、南澳、新会、斗门、阳西、化州、高州及深圳（市区）。

资源情况	野生资源较丰富。药材主要来源于野生。

采收加工 全年均可采收，鲜用。

功能主治 活血散瘀。外用于跌打肿痛。

用法用量 外用适量，鲜品捣敷。

凭证标本号 440882180126126LY。

大风子科 Flacourtiaceae 柞木属 Xylosma

南岭柞木 *Xylosma controversa* Clos

| **药 材 名** | 岭南柞木（药用部位：根、叶。别名：光叶柞木）。

| **形态特征** | 灌木或小乔木。叶椭圆形至长圆形，长5～15 cm，宽3～6 cm。花多数，成总状花序或圆锥花序；萼片4，卵形，长约2.5 mm，外面有毛，内面无毛，边缘有睫毛；花瓣无；雄花有多数雄蕊，长约2 mm，插生于花盘内面，花盘8裂；雌花子房卵球形，长约2 mm，无毛，1室。浆果圆形，直径3～5 mm，花柱宿存。花期4～5月，果期8～9月。

| **生境分布** | 生于山地林中。分布于广东乐昌、乳源、连州、连山、连南、阳山、英德、翁源、从化、高要、怀集、信宜。

| **资源情况** | 野生资源较丰富。药材主要来源于野生。 |

| **采收加工** | 秋、冬季采收，晒干。 |

| **功能主治** | 辛、甘，寒。清热凉血，散瘀消肿。用于骨折，烫火伤，外伤出血，吐血。 |

| **用法用量** | 内服煎汤，9 ~ 12 g。外用适量，鲜品捣敷。 |

| **凭证标本号** | 高锡朋 52662。 |

大风子科 Flacourtiaceae 柞木属 Xylosma

长叶柞木 *Xylosma longifolium* Clos

药材名

长叶柞木（药用部位：根皮、叶、茎皮。别名：柞树、柞木皮、丛花柞木）。

形态特征

小乔木或大灌木。小枝有刺。叶长圆状披针形或披针形，长 5 ~ 12 cm，宽 1.5 ~ 4 cm。总状花序；萼片卵形或披针形，长 2 ~ 4 mm，外面有毛，内面无毛；花瓣缺；雄花雄蕊多数，生在花盘的内面，花丝丝状，长约 4.5 mm，花药圆形，花盘 8 裂；雌花子房圆形。浆果球形，黑色，直径 4 ~ 6 mm，无毛；种子 2 ~ 5。花期 4 ~ 5 月，果期 6 ~ 10 月。

生境分布

生于村旁荒地或丘陵灌丛。广东各地山区均有分布。

资源情况

野生资源较丰富。药材主要来源于野生。

采收加工

夏、秋季采收，晒干。

| 功能主治 | 苦、涩，寒。清热利湿，散瘀止血，消肿止痛。根皮、茎皮，用于黄疸水肿，胎死不下。叶，用于跌打肿痛，骨折，脱臼，外伤出血。

| 用法用量 | 根皮、茎皮，内服煎汤，9 ～ 12 g。外用适量，捣敷。叶，外用适量，或叶加 35% 的乙醇制成 30% 的搽剂搽或湿敷。

| 凭证标本号 | 叶华谷、刘念 3057。

大风子科 Flacourtiaceae 柞木属 Xylosma

柞木
Xylosma racemosum (Sieb. et Zucc.) Miq.

| **药 材 名** | 柞木（药用部位：根皮、叶、茎皮。别名：凿子树、蒙子树、红心刺）。

| **形态特征** | 大灌木或小乔木。叶菱状椭圆形至卵状椭圆形，长 4 ~ 8 cm，宽 2.5 ~ 3.5 cm。总状花序腋生；花萼卵形；花瓣缺；雄花有多数雄蕊；雌花的萼片与雄花的相同，子房椭圆形，无毛，长约 4.5 mm。浆果黑色，球形，先端有宿存花柱，直径 4 ~ 5 mm；种子 2 ~ 3，卵形，长 2 ~ 3 mm，鲜时绿色，干后褐色，有黑色条纹。花期春季，果期冬季。

| **生境分布** | 生于村旁荒地或丘陵灌丛。分布于广东乐昌、乳源、连州、连山、连南、南雄、始兴、仁化、英德、阳山、翁源、新丰、连平、和平、龙门、从化、兴宁、五华、梅县及云浮（市区）。

| **资源情况** | 野生资源较丰富。药材主要来源于野生。 |

| **采收加工** | 夏、秋季采收，晒干。 |

| **功能主治** | 苦、涩，寒。清热利湿，散瘀止血，消肿止痛。根皮、茎皮，用于黄疸水肿，胎死不下。叶，用于跌打肿痛，骨折，脱臼，外伤出血。 |

| **用法用量** | 内服煎汤，9～12 g。外用适量，捣敷；或叶加35%的乙醇制成30%的搽剂搽或湿敷。 |

| **凭证标本号** | 440882180429059LY。 |

天料木科 Samydaceae 脚骨脆属 Casearia

球花脚骨脆 Casearia glomerata Roxb.

| 药 材 名 | 球花脚骨脆（药用部位：根、叶。别名：嘉赐树、毛脉脚骨脆）。

| 形态特征 | 乔木。叶长椭圆形至卵状椭圆形，长 5 ~ 10 cm，宽 2 ~ 4.5 cm。团伞花序，腋生；花萼片 5，倒卵形或椭圆形；花瓣缺；雄蕊 9 ~ 10，花丝有毛，花药近圆形；退化雄蕊长椭圆形，先端有束毛；子房卵状锥形，无毛。蒴果卵形，长 1 ~ 1.2 cm，直径 7 ~ 8 mm，干后有小瘤状突起；果柄被毛；种子多数，卵形，长约 4 mm。花期 8 ~ 12 月，果期 10 月至翌年春季。

| 生境分布 | 生于低海拔疏林中。分布于广东乐昌、翁源、英德、增城、高要、台山、恩平、阳春、阳西、高州、电白、化州、徐闻及浮云（市区）、深圳（市区）。

| **资源情况** | 野生资源较丰富。药材主要来源于野生。 |

| **采收加工** | 全年均可采收，鲜用。 |

| **功能主治** | 活血化瘀。外用于跌打损伤。 |

| **用法用量** | 外用适量，鲜品捣敷。 |

| **凭证标本号** | 440783200328026LY。 |

天料木科 Samydaceae 天料木属 Homalium

天料木

Homalium cochinchinense (Lour.) Druce

| 药 材 名 | 天料木（药用部位：根。别名：台湾天料木）。

| 形态特征 | 小乔木或灌木。叶宽椭圆状长圆形至倒卵状长圆形，长 6 ~ 15 cm，宽 3 ~ 7 cm。总状花序，被黄色短柔毛；花萼筒陀螺状，长 2 ~ 3 mm，被开展疏柔毛，萼片线形或倒披针状线形；花瓣匙形，外面近无毛或微被疏毛，内面中部以下有疏柔毛；子房有毛。蒴果倒圆锥状，长 5 ~ 6 mm，近无毛。花期全年，果期 9 ~ 12 月。

| 生境分布 | 生于山地林中。分布于广东乐昌、乳源、连州、连山、始兴、仁化、曲江、龙门、博罗、惠东、大埔、平远、斗门、高要、阳春、阳西、高州、德庆、封开及清远（市区）、广州（市区）、深圳（市区）。

资源情况	野生资源较丰富。药材主要来源于野生。
采收加工	全年均可采挖，鲜用。
功能主治	清热消肿，收敛。外用于痈疖疮毒。
用法用量	外用适量，鲜品捣敷。
凭证标本号	441523190514024LY。

天料木科 Samydaceae 天料木属 Homalium

红花天料木
Homalium hainanense Gagnep.

| 药 材 名 | 红花天料木（药用部位：叶。别名：母生、红花母生、高根）。 |

| 形态特征 | 乔木。叶长圆形或椭圆状长圆形，稀倒卵状长圆形，长 6 ~ 10 cm，宽 2.5 ~ 5 cm。总状花序长 5 ~ 15 cm；花萼筒陀螺状，长约 1 mm，被短柔毛；萼片线状长圆形；花瓣宽匙形；子房被短柔毛，花柱（4 ~）5 ~ 6，长约 2 mm，略高出雄蕊，侧膜胎座 5 ~ 6，每胎座有胚珠 3 ~ 5。蒴果倒圆锥形，长约 4 mm，直径约 1.5 mm。花期 6 月至翌年 2 月，果期 10 ~ 12 月。 |

| 生境分布 | 广东无野生分布。广东高要、阳春、高州有引种栽培。 |

| 资源情况 | 有少量栽培。药材主要来源于栽培。 |

| **采收加工** | 全年均可采收，鲜用。 |

| **功能主治** | 涩，凉。清热消肿。外用于痈疖疮毒。 |

| **用法用量** | 外用适量，煎汤洗。 |

| **凭证标本号** | 441427180623405LY。 |

柽柳科 Tamaricaceae 柽柳属 Tamarix

柽柳
Tamarix chinensis Lour.

| 药 材 名 |

柽柳（药用部位：嫩枝、叶。别名：西河柳、西湖柳）。

| 形 态 特 征 |

灌木或小乔木。老枝上叶长圆状披针形或长卵形，长 1.5 ~ 1.8 mm，上部绿色营养枝上的叶钻形或卵状披针形，半贴生。总状花序；萼片 5；花瓣 5，粉红色，常卵状椭圆形或椭圆状倒卵形，稀倒卵形；雄蕊 5，长与花瓣相等或为其 2 倍，花药钝，花丝着生在花盘主裂片间，自裂片边缘和略下方生出。花期 3 ~ 9 月。

| 生 境 分 布 |

生于海滨、滩头、潮湿盐碱地和沙荒地。分布于广东斗门、德庆及广州（市区）、中山（市区）。

| 资源情况 |

野生资源较少。药材主要来源于野生。

| 采收加工 |

夏、秋季采收，晒干。

| **功能主治** | 甘，平。发汗透疹，解毒，利尿。用于感冒，麻疹不透，风湿关节痛，小便不利；外用于风疹瘙痒。 |

| **用法用量** | 内服煎汤，3～9 g。外用适量，煎汤洗。 |

| **凭证标本号** | 邓良 9220。 |

西番莲科 Passifloraceae 蒴莲属 Adenia

蒴莲
Adenia chevalieri Gagnep.

| 药 材 名 | 蒴莲（药用部位：根。别名：云龙党、过山参、双眼灵）。

| 形态特征 | 藤本。叶宽卵形至卵状长圆形，长 7 ~ 15 cm，宽 8 ~ 12 cm，3 裂者，中间裂片卵形，侧裂片较窄。聚伞花序，花单性；雄花花萼管状，花瓣 5，披针形，雄蕊 5；雌花较雄花大，子房椭圆球形。蒴果纺锤形，长 8 ~ 12 cm，老熟时红色，有光泽，3 瓣室背开裂，外果皮革质。花期 1 ~ 7 月，果期 8 ~ 10 月。

| 生境分布 | 生于低海拔疏林或灌丛。分布于广东阳春、信宜、封开、化州、高州、徐闻。

| 资源情况 | 野生资源较少。药材主要来源于野生。

| **采收加工** | 夏、秋季采挖，晒干。

| **功能主治** | 甘、微苦，凉。滋补强壮，祛风湿，通经络。用于风湿痹痛，胃痛，子宫脱垂。

| **用法用量** | 内服煎汤，15 ~ 30 g。

| **凭证标本号** | 黄志 38633。

西番莲科 Passifloraceae 西番莲属 Passiflora

西番莲
Passiflora caerulea L.

| 药 材 名 | 西番莲（药用部位：根、藤、果实。别名：转心莲、转子莲、时计草）。 |

| 形态特征 | 藤本。叶近圆形，5 深裂近基部；叶柄中部有 2 ~ 4 腺体。萼片 5；花瓣 5，淡绿色；外副花冠裂片 3 轮，丝状，外轮与中轮裂片长 1 ~ 1.5 cm，先端天蓝色，中部白色，下部紫红色，内轮裂片丝状，长 1 ~ 2 mm，先端具 1 紫红色头状体；内副花冠流苏状，裂片紫红色，其下具 1 蜜腺环；雄蕊 5；子房近球形。果实球形，直径 5 ~ 6 cm，老熟时光滑，紫红色。花期 5 ~ 10 月。 |

| 生境分布 | 广东无野生分布。广东各地均有栽培。 |

| 资源情况 | 有少量栽培。药材主要来源于栽培。 |

采收加工	夏、秋季采收，晒干。
功能主治	苦，温。祛风除湿，活血止痛。用于风湿骨痛，疝痛，痛经；外用于骨折。
用法用量	内服煎汤，15 ~ 24 g。外用适量，捣烂调酒敷。
凭证标本号	440523190711040LY。

西番莲科 Passifloraceae 西番莲属 Passiflora

杯叶西番莲

Passiflora cupiformis Mast.

| 药 材 名 | 杯叶西番莲（药用部位：全株或根。别名：半截叶、燕尾草、羊蹄暗消）。

| 形态特征 | 藤本。叶杯形，长 6 ~ 12 cm，宽 4 ~ 10 cm。花白色；花瓣长 7 ~ 8.5 mm；外副花冠裂片 2 轮，丝状，外轮长 8 ~ 9 mm，内轮长 2 ~ 3 mm；内副花冠褶状，高约 1.5 mm；花盘高约 0.25 mm；雌、雄蕊柄长均 3 ~ 5 mm；雄蕊 5，花丝分离，长 4.5 ~ 6 mm，花药长圆形，长 2.5 mm；子房近卵球形。浆果球形，直径 1 ~ 1.6 cm，成熟时紫色，无毛；种子多数，三角状椭圆形，长约 5 mm，扁平，深棕色。花期 4 月，果期 9 月。

| 生境分布 | 广东无野生分布。广东广州（市区）、深圳（市区）有栽培。

| **资源情况** | 有少量栽培。药材主要来源于栽培。

| **采收加工** | 夏、秋季采收，晒干。

| **功能主治** | 活血散瘀，解毒。用于肺病，跌打损伤，蛇咬伤。

| **用法用量** | 内服煎汤，10 ~ 15 g。

西番莲科 Passifloraceae 西番莲属 Passiflora

鸡蛋果 *Passiflora edulis* Sims

| 药 材 名 | 鸡蛋果（药用部位：果实。别名：百香果、紫果西番莲、洋石榴）。

| 形态特征 | 藤本。叶纸质，长 6 ~ 13 cm，宽 8 ~ 13 cm，基部楔形或心形，掌状 3 深裂，中间裂片卵形，两侧裂片卵状长圆形，近裂片缺弯的基部有 1 ~ 2 杯状小腺体。聚伞花序退化仅存 1 花，与卷须对生；花芳香，直径约 4 cm；萼片 5，外面绿色，内面绿白色，长 2.5 ~ 3 cm；花瓣 5，与萼片等长；外副花冠裂片 4 ~ 5 轮，外面 2 轮裂片丝状；子房倒卵球形，长约 8 mm，被短柔毛。浆果卵球形，直径 3 ~ 5.5 cm，无毛，成熟时紫色；种子多数，卵形，长 5 ~ 6 mm。花期 6 月，果期 11 月。

| 生境分布 | 广东无野生分布。广东各地均有栽培。

| 资源情况 | 有大量栽培。药材主要来源于栽培。

| 采收加工 | 全年均可采摘，晒干。

| 功能主治 | 清热解毒，镇痛安神。用于痢疾，痛经，失眠等。

| 用法用量 | 内服煎汤，10 ~ 25 g。

| 凭证标本号 | 441825190503022LY。

西番莲科 Passifloraceae 西番莲属 Passiflora

龙珠果
Passiflora foetida L.

| **药 材 名** | 龙珠果（药用部位：全株。别名：龙须果）。

| **形态特征** | 草质藤本。叶膜质，宽卵形至长圆状卵形，长 4.5 ~ 13 cm，宽 4 ~ 12 cm，先端 3 浅裂，基部心形；叶柄长 2 ~ 6 cm，密被平展柔毛和腺毛。聚伞花序退化仅存 1 花，与卷须对生；花白色或淡紫色，具白斑，直径 2 ~ 3 cm；萼片 5，长 1.5 cm，外面近先端具 1 角状附属器；花瓣 5，与萼片等长；外副花冠裂片 3 ~ 5 轮，丝状，外面 2 轮裂片长 4 ~ 5 mm，内面 3 轮裂片长约 2.5 mm；内副花冠非褶状；雄蕊 5，花丝基部合生；子房椭圆球形。浆果卵圆球形，直径 2 ~ 3 cm，无毛。花期 7 ~ 8 月，果期翌年 4 ~ 5 月。

| **生境分布** | 生于海拔 20 ~ 500 m 的荒山草坡或灌丛。分布于广东斗门、南海、台山、徐闻、雷州、电白、高州、高要、博罗、阳西及东莞（市区）、

中山（市区）、广州（市区）、深圳（市区）。

| **资源情况** |　野生资源较丰富。药材主要来源于野生。

| **采收加工** |　夏、秋季采收，晒干。

| **功能主治** |　清热凉血，润燥祛痰。用于外伤性角膜炎或结膜炎，淋巴结炎。

| **用法用量** |　内服煎汤，9 ~ 21 g。

| **凭证标本号** |　440882180602062LY。

西番莲科 Passifloraceae 西番莲属 *Passiflora*

广东西番莲 *Passiflora kwangtungensis* Merr.

| **药 材 名** | 广东西番莲（药用部位：全株）。

| **形态特征** | 草质藤本。叶膜质，互生，披针形至长圆状披针形，长 6 ~ 13 cm，宽 2 ~ 5 cm，先端长渐尖，基部心形，全缘。花序有 1 ~ 2 花；花小形，白色，直径 1.5 ~ 2 cm；萼片 5，膜质，窄长圆形，长 8 ~ 9 mm，宽约 2.5 mm；花瓣 5，与萼片近似，等大；外副花冠裂片 1 轮，丝状；内副花冠褶状，高 1.5 mm；雄蕊 5；子房无柄，椭圆球形，长 2.5 mm。浆果球形，直径 1 ~ 1.5 cm，无毛。花期 3 ~ 5 月，果期 6 ~ 7 月。

| **生境分布** | 生于海拔 350 ~ 880 m 的山地疏林或灌丛。分布于广东乐昌、连山、乳源、英德、南雄、阳山、封开。

| 资源情况 | 野生资源较少。药材主要来源于野生。

| 采收加工 | 夏、秋季采收，晒干。

| 功能主治 | 清热解毒，除湿，消肿。外用于痈疮肿毒，湿疹。

| 用法用量 | 外用适量，煎汤洗。

| 凭证标本号 | 441882180814062LY。

西番莲科 Passifloraceae 西番莲属 *Passiflora*

蛇王藤 *Passiflora moluccana* Reinw. ex Bl. var. *teysmanniana* (Miq.) Wilde [*Passiflora cochinchinensis* Spreng.]

药材名

蛇王藤（药用部位：全株。别名：海南西番莲、黄豆树、山水瓜）。

形态特征

草质藤本。叶革质，线形、线状长圆形或椭圆形，长 4 ~ 14 cm，宽 1 ~ 6 cm，先端圆形，基部近心形，背面密被短绒毛，具 4 ~ 6 腺体；叶片基部具 2 腺体。聚伞花序有 1 ~ 2 花；苞片线形；花白色，直径 3.5 ~ 5 cm；萼片 5，长 1.5 ~ 2 cm；花瓣 5，长约 1.6 cm；外副花冠裂片 2 轮，丝状；雄蕊 5，花丝长 6 ~ 10 mm，扁平，分离，花药长圆形，长约 5 mm；子房密被柔毛，球形；花柱 3，反折。浆果近球形，直径 1.5 ~ 2.5 cm，近无毛。

生境分布

生于沟谷林缘或山坡灌丛，常攀缘于其他树上。分布于广东斗门、阳春、阳西、台山、信宜、高州、徐闻及广州（市区）、深圳（市区）。

资源情况

野生资源较少。药材主要来源于野生。

| **采收加工** | 夏、秋季采收，晒干。

| **功能主治** | 清热解毒，消肿止痛。用于毒蛇咬伤，复合性胃及十二指肠溃疡；外用于瘰疬，疮痈。

| **用法用量** | 内服煎汤，9～30 g。外用适量，鲜叶捣敷。蛇咬伤除内服外，同时捣敷伤口周围。

| **凭证标本号** | 440923140819016LY。

西番莲科 Passifloraceae 西番莲属 Passiflora

大果西番莲 *Passiflora quadrangularis* L.

| **药 材 名** | 大果西番莲（药用部位：全株。别名：大西番莲、大转心莲、日本瓜）。 |

| **形态特征** | 粗壮草质藤本。幼茎四棱形，常具窄翅。叶膜质，宽卵形至近圆形，长 7 ~ 13 cm，宽 5 ~ 15 cm，先端急尖，基部圆形；叶柄具 2 ~ 3 对杯状腺体。花序退化仅存 1 花，与叶柄对生；花大，直径 6 ~ 8 cm，淡红色，芳香；萼片 5，卵形至卵状长圆形，长 3 ~ 4 cm；花瓣 5，淡红色；外副花冠裂片 5 轮，丝状，白色或紫色；雄蕊 5，分离；子房卵球形，花柱紫色，柱头 3 裂。浆果卵球形，长 20 ~ 25 cm，肉质，成熟时红黄色。花期 2 ~ 8 月。 |

| **生境分布** | 广东无野生分布。广东广州（市区）有栽培。 |

| **资源情况** | 有少量栽培。药材主要来源于栽培。 |

| **采收加工** | 夏、秋季采收，鲜用。

| **功能主治** | 消炎，活血。用于痈疮肿毒，跌打损伤。

| **用法用量** | 外用适量，鲜品捣敷。

| **凭证标本号** | 罗献瑞 962。

葫芦科 Cucurbitaceae 盒子草属 Actinostemma

盒子草
Actinostemma tenerum Griff.

| 药 材 名 | 盒子草（药用部位：全株。别名：合子草、黄丝藤、葫篓棵子）。

| 形态特征 | 藤本。叶形变异大，心状戟形、心状狭卵形或披针状三角形，不分裂、3～5裂仅在基部分裂。雄花总状，花萼裂片线状披针形，花冠裂片披针形；雌花单生、双生或雌雄同序，子房卵状。果实绿色，卵形、阔卵形或长圆状椭圆形，长1.6～2.5 cm，直径1～2 cm，疏被暗绿色鳞片状突起，自近中部盖裂，果盖锥形，具种子2～4。花期7～9月，果期9～11月。

| 生境分布 | 生于水边或山地草丛、路旁。分布于广东英德、高要及清远（市区）。

| 资源情况 | 野生资源较少。药材主要来源于野生。

| 采收加工 | 夏、秋季采收，晒干。

| 功能主治 | 苦，寒；有小毒。清热解毒，利尿消肿。用于毒蛇咬伤，腹水，脓疱疮，天疱疮，小儿疳积。

| 用法用量 | 内服煎汤，9 ~ 15 g。外用适量，鲜品捣敷。

| 凭证标本号 | 445222181004016LY。

葫芦科 Cucurbitaceae 冬瓜属 Benincasa

冬瓜 Benincasa hispida (Thunb.) Cogn.

| 药 材 名 | 冬瓜子（药用部位：种子、瓜皮。别名：广瓜、枕瓜、白瓜）。

| 形态特征 | 藤本。叶肾状近圆形，宽 15 ~ 30 cm，5 ~ 7 浅裂或有时中裂，裂片宽三角形或卵形。雌雄同株；花单生；花萼筒宽钟形；花冠黄色，辐状；子房卵形或圆筒形，密生黄褐色茸毛状硬毛，长 2 ~ 4 cm。果实长圆柱状或近球状，大型，有硬毛和白霜，长 25 ~ 60 cm，直径 10 ~ 25 cm。

| 生境分布 | 广东无野生分布。广东各地均有栽培。

| 资源情况 | 有大量栽培。药材主要来源于栽培。

| 采收加工 | 秋、冬季采收,晒干。

| 功能主治 | 甘,微寒。种子,清热化痰,消痈排脓。用于肺热咳嗽,肺脓肿,阑尾炎。瓜皮,清热解毒,利尿消肿。用于水肿,小便不利,急性肾炎性水肿。

| 用法用量 | 内服煎汤,15 ~ 30 g。

| 凭证标本号 | 445222191026001LY。

葫芦科 Cucurbitaceae 西瓜属 Citrullus

西瓜 *Citrullus lanatus* (Thunb.) Mats. et Nakai

| 药 材 名 | 西瓜皮（药用部位：中果皮。别名：西瓜翠）。

| 形态特征 | 藤本。叶三角状卵形，长 8 ~ 20 cm，宽 5 ~ 15 cm，两面具短硬毛。雌雄同株；雌、雄花均单生于叶腋；雄花萼筒宽钟形，花冠淡黄色；雌花花萼和花冠与雄花同，子房卵形。果实大型，近球形或椭圆形，肉质，多汁，果皮光滑，色泽及纹饰各式；种子多数。花果期夏、秋季。

| 生境分布 | 广东无野生分布。广东各地均有栽培。

| 资源情况 | 有大量栽培。药材主要来源于栽培。

| **采收加工** | 夏、秋季采收，鲜用。

| **功能主治** | 甘、淡，寒。清热，解暑，利尿。用于暑热烦渴，浮肿，小便不利。

| **用法用量** | 内服煎汤，10 ~ 30 g。

| **凭证标本号** | 441421181118594LY。

葫芦科 Cucurbitaceae 红瓜属 Coccinia

红瓜 *Coccinia grandis* (L.) Voigt

| 药 材 名 | 红瓜（药用部位：果实。别名：老鸭菜、山黄瓜）。

| 形态特征 | 草质藤本。叶阔心形，长、宽均5 ~ 10 cm，常有5角或稀近5中裂，两面有颗粒状小凸点。雌雄异株；雌、雄花均单生；雄花萼筒宽钟形，雄蕊3，花丝及花药合生，花丝长2 ~ 3 mm，花药近球形；雌花子房纺锤形，长12 ~ 15 mm，厚3 ~ 4 mm，花柱纤细，长6 ~ 7 mm，无毛，柱头3，长5 ~ 6 mm。果实纺锤形，长5 cm，直径2.5 cm，成熟时深红色。

| 生境分布 | 生于旷野灌丛。分布于广东斗门、徐闻、雷州。

| 资源情况 | 野生资源较少。药材主要来源于野生。

| **采收加工** | 夏、秋季采收，晒干。 |

| **功能主治** | 降血糖。民间用于糖尿病。 |

| **用法用量** | 内服煎汤，10 ~ 20 g。 |

| **凭证标本号** | 441823200708056LY。 |

葫芦科 Cucurbitaceae 黄瓜属 Cucumis

甜瓜 *Cucumis melo* L.

| 药 材 名 | 甜瓜（药用部位：全株。别名：华莱士瓜、白兰瓜、哈密瓜）。

| 形态特征 | 草质藤本。叶近圆形或肾形，长、宽均8～15 cm。花单性，雌雄同株；雄花萼筒狭钟形，密被白色长柔毛，花冠黄色，雄蕊3；雌花单生，子房长椭圆形，密被长柔毛和长糙硬毛。果实的形状、颜色因品种而异，常为球形或长椭圆形，果皮平滑，有纵沟纹或斑纹，无刺状突起，果肉白色、黄色或绿色，有香甜味。花果期夏季。

| 生境分布 | 广东无野生分布。广东各地均有栽培。

| 资源情况 | 有少量栽培。药材主要来源于栽培。

| **采收加工** | 夏、秋季采收，晒干。

| **功能主治** | 苦，寒。祛火败毒。用于痔疮肿毒，漏疮生管，脏毒滞热，流水刺痒。

| **用法用量** | 内服煎汤，10 ～ 30 g。

| **凭证标本号** | 黄玉佳 15890。

葫芦科 Cucurbitaceae 黄瓜属 Cucumis

黄瓜 *Cucumis sativus* L.

| 药 材 名 | 黄瓜（药用部位：果实、藤。别名：青瓜、胡瓜、王瓜）。

| 形态特征 | 草质藤本。叶宽卵状心形，膜质，长、宽均7～20 cm，两面甚粗糙，被糙硬毛。雌雄同株；雄花萼筒狭钟状或近圆筒状，花冠黄白色，长约2 cm，花冠裂片长圆状披针形，急尖，雄蕊3；雌花单生，稀簇生，子房纺锤形，粗糙，有小刺状突起。果实长圆形或圆柱形，长10～30（～50）cm，成熟时黄绿色，表面粗糙，有具刺尖的瘤状突起，极稀近平滑。花果期夏季。

| 生境分布 | 广东无野生分布。广东各地均有栽培。

| 资源情况 | 有大量栽培。药材主要来源于栽培。

| 采收加工 | 夏、秋季采收，晒干。

| 功能主治 | 果实，甘，寒。清热利尿。用于烦渴，小便不利。藤，苦，平。消炎，祛痰，镇痉。用于腹泻，痢疾，癫痫。

| 用法用量 | 内服煎汤，10 ~ 30 g。

| 凭证标本号 | 440982170325031LY。

葫芦科 Cucurbitaceae 南瓜属 Cucurbita

南瓜

Cucurbita moschata (Duch. ex Lam.) Duch. ex Poir.

| 药 材 名 | 南瓜子（药用部位：种子。别名：金瓜、番瓜、北瓜）。

| 形态特征 | 草质藤本。叶宽卵形或卵圆形，质稍柔软，有 5 角或 5 浅裂，稀钝，长 12 ~ 25 cm，宽 20 ~ 30 cm。雌雄同株；雄花单生，花萼筒钟形，花冠黄色，钟状，雄蕊 3；雌花单生，子房 1 室。瓠果形状多样，因品种而异，外面常有数条纵沟或无；种子多数，长卵形或长圆形，灰白色，边缘薄，长 10 ~ 15 mm，宽 7 ~ 10 mm。

| 生境分布 | 广东无野生分布。广东各地均有栽培。

| 资源情况 | 有大量栽培。药材主要来源于栽培。

| **采收加工** | 秋、冬季采收，晒干。

| **功能主治** | 甘，温。驱虫。用于绦虫病，血吸虫病。

| **用法用量** | 内服研末，60 ~ 120 g。

| **凭证标本号** | 440224181116030LY。

葫芦科 Cucurbitaceae 毒瓜属 Diplocyclos

毒瓜
Diplocyclos palmatus (L.) C. Jeffrey

| 药 材 名 | 毒瓜（药用部位：果实、根。别名：花瓜）。

| 形态特征 | 草质藤本。叶宽卵圆形，长、宽均为 8 ~ 12 cm，掌状 5 深裂，中间裂片较长，长圆状披针形。雌雄同株；雄花萼筒短，花冠绿黄色，雄蕊 3；雌花子房卵球形。果实近无柄，球形，不开裂，直径 14 ~ 18 mm，果皮平滑，黄绿色至红色，间以白色纵条纹；种子少数，卵形，褐色，两面凸起，凸起部分厚 1 ~ 2 mm，环以隆起的环带，长 5 mm，宽 3 mm，厚 3.5 ~ 4 mm。花期 3 ~ 8 月，果期 7 ~ 12 月。

| 生境分布 | 生于海拔 10 ~ 100 m 的灌丛中。分布于广东徐闻、雷州。

| 资源情况 | 野生资源较少。药材主要来源于野生。

| **采收加工** | 夏、秋季采收，鲜用。 |

| **功能主治** | 有毒。清热解毒。用于无名肿毒。 |

| **用法用量** | 外用适量，鲜品捣敷。 |

| **凭证标本号** | 440882180126099LY。 |

葫芦科 Cucurbitaceae 金瓜属 Gymnopetalum

金瓜 *Gymnopetalum chinense* (Lour.) Merr.

| 药 材 名 | 金瓜（药用部位：全株或根。别名：越南裸瓣瓜）。

| 形态特征 | 草质藤本。叶卵状心形、五角形或 3 ~ 5 中裂，长、宽均 4 ~ 8 cm，间间裂片较大。雌雄同株，雄花萼筒管状，伸长，长约 2 cm，上部膨大，花冠白色，雄蕊 3；雌花单生，子房长圆形。果实长圆状卵形，橙红色，长 4 ~ 5 cm，外面光滑，具 10 凸起的纵肋，两端急尖；种子长圆形，长 7 mm，宽 3 ~ 3.5 mm，有网纹，两端钝圆。花期 7 ~ 9 月，果期 9 ~ 12 月。

| 生境分布 | 生于灌丛或山谷林中。分布于广东郁南、阳春及广州（市区）、东莞（市区）、深圳（市区）。

资源情况	野生资源较少。药材主要来源于野生。
采收加工	夏、秋季采收，晒干。
功能主治	活血调经，舒筋通络，化痰消瘰。用于月经不调，关节酸痛，手脚萎缩，瘰疬。
用法用量	内服煎汤，10 ~ 20 g。
凭证标本号	441523190921039LY。

葫芦科 Cucurbitaceae 金瓜属 Gymnopetalum

风瓜
Gymnopetalum integrifolium (Roxb.) Kurz

| 药 材 名 | 风瓜（药用部位：全株或根。别名：凤瓜、老鸭瓜、山西瓜）。

| 形态特征 | 草质藤本。叶肾形或卵状心形，长、宽均为 6 ~ 8 cm，不分裂或波状 3 ~ 5 浅裂。雌雄同株；雄花萼筒筒状，长 1.5 ~ 2 cm，花冠裂片倒卵形，雄蕊 3；雌花单生，子房长卵球形，被长柔毛，长 1 cm。果实近球形，成熟后橘黄色至红色，直径 2 ~ 3 cm，外面光滑，无纵肋；种子狭长圆形，长 9 mm，宽 3 ~ 3.5 mm，厚 1.5 mm，两面光滑，两端稍钝。花期 6 ~ 9 月，果期 9 ~ 11 月。

| 生境分布 | 生于海边的灌丛、草地或山地山谷林中。分布于广东徐闻。

| 资源情况 | 野生资源较少。药材主要来源于野生。

| **采收加工** | 夏、秋季采收，晒干。

| **功能主治** | 抗菌消炎，抗溃疡，抗风湿。用于风湿病。

| **用法用量** | 内服煎汤，10 ~ 20 g。外用适量，鲜品捣敷。

| **凭证标本号** | 南路 00447。

葫芦科 Cucurbitaceae 绞股蓝属 Gynostemma

绞股蓝 *Gynostemma pentaphyllum* (Thunb.) Makino

| 药 材 名 | 绞股蓝（药用部位：全株。别名：五叶参、七叶胆、甘茶蔓）。

| 形态特征 | 草质藤本。叶鸟足状；具3～9小叶，通常5～7，卵状长圆形或长圆状披针形，长4～14 cm，宽1.5～4 cm。花黄绿色，单性，雌雄异株，排成长10～30 cm的腋生圆锥花序；花萼裂片5，三角形；花冠辐状，5深裂，裂片披针形；雄蕊5，着生于花萼基部，花丝短，基部合生；花柱3，柱头2裂。蒴果球形，直径5～8 mm，成熟时黑色；种子1～3，阔卵形，两面有小疣状突起。

| 生境分布 | 生于海拔300～1 000 m的山谷林中。分布于广东乐昌、乳源、英德、阳山、始兴、翁源、佛冈、新丰、博罗、和平、怀集、阳春、信宜及广州（市区）、深圳（市区）。

| 资源情况 | 野生资源较丰富。药材主要来源于野生。

| 采收加工 | 夏季、冬初采收，晒干。

| 药材性状 | 本品多缠绕成团。茎柔弱，有 4 纵棱，长可达 2 m 或稍长，被短柔毛；卷须二分叉，稀不分叉。叶互生，叶片皱缩，小叶 3 ～ 9，分裂似鸟足状，小叶片卵状长圆形或长圆状披针形，中间的叶片较大，长 4 ～ 12 cm，被柔毛或刚毛，边缘有锯齿，两面均呈深绿色。偶见残留花或果实。

| 功能主治 | 甘、苦，寒。止咳，平喘，清热解毒，降血脂，抗衰老。用于慢性支气管炎，肺热咳嗽，高脂血症，病毒性肝炎，肾盂肾炎，胃肠炎。

| 用法用量 | 内服煎汤，15 ～ 30 g。

| 凭证标本号 | 441825190710005LY。

葫芦科 Cucurbitaceae 雪胆属 Hemsleya

蛇莲

Hemsleya sphaerocarpa Kuang et A. M. Lu

| **药 材 名** | 蛇莲（药用部位：全株。别名：拳参、鸡爪大王、马蜂七）。

| **形态特征** | 草质藤本。趾状复叶多为 7 小叶，小叶片长圆状披针形或宽披针形。花雌雄异株；雄花萼筒短，花冠辐状，裂片平展，宽卵形，雄蕊 5；雌花子房近球形。果实圆球状，直径 2.5 ~ 3 cm，具 10 纵纹，先端 3 片裂；种子近圆形，双凸透镜状，直径 8 ~ 9 mm，周生宽约 2 mm 的木栓质翅，具折皱，边缘密生细瘤突，中间部分较疏。花期 5 ~ 9 月，果期 7 ~ 11 月。

| **生境分布** | 生于山谷沟旁密林中。分布于广东乳源。

| **资源情况** | 野生资源较少。药材主要来源于野生。

| **采收加工** | 夏、秋季采收，晒干。

| **功能主治** | 苦，寒。清热解毒，健胃止痛。用于细菌性痢疾，肠炎，支气管炎，扁桃体炎，胃痛。

| **用法用量** | 内服煎汤，10 ~ 20 g。

| **凭证标本号** | 黄志 44232。

葫芦科 Cucurbitaceae 油渣果属 Hodgsonia

油渣果

Hodgsonia heteroclita (Roxb.) Hook. f. et Thomson [*Hodgsonia macrocarpa* (Bl.) Cogn.]

|药 材 名|

油渣果（药用部位：根、种仁、果皮。别名：猪油果、油瓜、腺点油瓜）。

|形态特征|

藤本。叶 3 ~ 5 深裂、中裂、浅裂或有时不分裂，长、宽均为 15 ~ 24 cm，裂片卵状长圆形，中裂片较大，侧裂片较小。雌雄异株；雄花萼筒狭管状，淡黄色，花冠辐状，外面黄色，内面白色，雄蕊 3；雌花单生，子房近球形。果实大型，扁球形，直径 20 cm，厚 10 ~ 16 cm，淡红褐色，有 12 槽沟，具绒毛，有 6 大型种子；种子长圆形，长 7 cm，宽 3 cm。花果期 6 ~ 10 月。

|生境分布|

广东无野生分布。广东广州（市区）、湛江（市区）有栽培。

|资源情况|

有少量栽培。药材主要来源于栽培。

|采收加工|

秋、冬季采收，晒干。

| 功能主治 | 根，苦，寒；有小毒。杀菌，催吐。用于疟疾。种仁，甘，凉。凉血止血，解毒消肿。用于胃及十二指肠溃疡出血；外用于湿疹。果皮，外用于外伤出血，疮疖肿痛。

| 用法用量 | 根，内服煎汤，1.5～3 g，胡椒引，每日1剂。孕妇忌用。种仁，外用适量，榨油涂。果皮，内服研末，6～9 g。外用适量，研末撒敷。

| 凭证标本号 | 邓良10462。

葫芦科 Cucurbitaceae 葫芦属 Lagenaria

葫芦
Lagenaria siceraria (Molina) Standl.

药材名

葫芦（药用部位：种仁、果皮。别名：瓠、瓠瓜、大葫芦）。

形态特征

草质藤本。叶卵状心形或肾状卵形，长、宽均为 10 ~ 35 cm，不分裂或 3 ~ 5 裂。雌雄同株，雌、雄花均单生；雄花萼筒漏斗状，花冠黄色，裂片皱波状，雄蕊 3；雌花花萼和花冠似雄花，子房中间缢细。果实初为绿色，后变为白色至黄色，由于长期栽培，果形变异很大，有的呈哑铃状，中间缢细，下部和上部膨大，成熟后果皮变木质。花期夏季，果期秋季。

生境分布

广东无野生分布。广东各地均有栽培。

资源情况

常见栽培。药材主要来源于栽培。

采收加工

秋、冬季采收，晒干。

| **功能主治** | 甘，平。利尿消肿。用于水肿，腹水，颈淋巴结结核。

| **用法用量** | 内服煎汤，15 ~ 30 g。

| **凭证标本号** | 440982170326004LY。

葫芦科 Cucurbitaceae 丝瓜属 Luffa

广东丝瓜 *Luffa acutangula* (L.) Roxb.

| **药 材 名** | 丝瓜络（药用部位：成熟果实的维管束。别名：棱角丝瓜）、丝瓜叶（药用部位：叶）、丝瓜子（药用部位：种子）、丝瓜藤（药用部位：藤）、丝瓜根（药用部位：根）。

| **形态特征** | 草质藤本。叶片近圆形，膜质，长、宽均为 15 ~ 20 cm，常为 5 ~ 7 浅裂，中间裂片宽三角形。雌雄同株；雄花萼筒钟形，花冠黄色，辐状，雄蕊 3，离生，1 枚 1 室，2 枚 2 室，花丝长 4 ~ 5 mm，基部有髯毛，花药有短柔毛；雌花单生，与雄花序生于同一叶腋，子房棍棒状，具 10 纵棱。果实圆柱状或棍棒状，具 8 ~ 10 纵向的锐棱和沟，长 15 ~ 30 cm，直径 6 ~ 10 cm。花果期夏、秋季。

| **生境分布** | 广东无野生分布。广东各地均有栽培。

| 资源情况 | 常见栽培。药材主要来源于栽培。

| 采收加工 | 丝瓜络：秋季果实成熟，果皮变黄，内部干枯时采摘，搓去外皮及果肉；或用水浸泡至果皮和果肉腐烂，取出洗净，除去种子，晒干。

丝瓜叶：夏、秋季采收，鲜用或晒干。

丝瓜子：秋季果实老熟后，在采制丝瓜络时，收集种子，晒干。

丝瓜藤：夏、秋季采收，洗净，鲜用或晒干。

丝瓜根：夏、秋季采收，洗净，鲜用或晒干。

| 功能主治 | 丝瓜络：甘，平。清热解毒，活血通络，利尿消肿。用于筋骨酸痛，胸胁痛，闭经，乳汁不通，乳腺炎，水肿。

丝瓜叶：苦、酸，微寒。止血，清热解毒，化痰止咳。用于百日咳，咳嗽，暑热口渴；外用于创伤出血，疥癣，天疱疮。

丝瓜子：微甘，平。清热化痰，润燥，驱虫。用于咳嗽痰多，蛔虫病，便秘。

丝瓜藤：甘，平。通经活络，止咳化痰。用于腰痛，咳嗽，鼻炎，支气管炎。

丝瓜根：甘，平。清热解毒。用于鼻炎，副鼻窦炎。

| 用法用量 | 丝瓜络：内服煎汤，9～15 g。

丝瓜叶：内服煎汤，9～15g。外用适量，研末调敷。

丝瓜子：内服煎汤，6～9g。

丝瓜藤：内服煎汤，30～60 g。

丝瓜根：内服煎汤，15～30 g。

| 凭证标本号 | 441624181124005LY。

葫芦科 Cucurbitaceae 丝瓜属 Luffa

丝瓜 *Luffa aegyptiaca* Mill.

| 药 材 名 | 丝瓜络（药用部位：成熟果实的维管束。别名：水瓜）。

| 形态特征 | 草质藤本。叶片三角形或近圆形，通常掌状 5 裂，边缘有锯齿。花单性，雌雄同株，雄花组成总状花序，雌花单生于叶腋；花萼裂片卵状披针形，长约 1 cm；花冠黄色；雄蕊 5，药室多回折曲；子房长圆柱状，柱头 3，膨大。果实圆柱状，长 15 ~ 50 cm，有纵向浅槽或条纹，未成熟时肉质，成熟后干燥，内面有网状纤维，充分成熟后，由先端盖裂；种子黑色，扁平，边缘狭翼状。花果期夏、秋季。

| 生境分布 | 广东无野生分布。广东各地均有栽培。

| 资源情况 | 常见栽培。药材主要来源于栽培。

| **采收加工** | 夏、秋季果皮变黄、内部干枯时采摘成熟果实，除去外皮及果肉，洗净，晒干，除去种子。

| **药材性状** | 本品为纤维交织而成的网状物，多呈长梭形或圆柱形，略弯曲，常稍扁，长30 ~ 70 cm，直径 7 ~ 10 cm，淡黄白色。体轻，质韧，有弹性，不能折断。横切面有腔室 3。气微，味淡。以筋络清晰、质韧、色淡黄白者为佳。

| **功能主治** | 甘，平。清热解毒，活血通络，利尿消肿。用于筋骨酸痛，胸胁痛，闭经，乳汁不通，乳腺炎，水肿。

| **用法用量** | 内服煎汤，10 ~ 15 g。

| **凭证标本号** | 440783191006012LY。

苦瓜 *Momordica charantia* L.

药材名

苦瓜（药用部位：果实、根茎、叶。别名：凉瓜、癞瓜）。

形态特征

草质藤本。叶近圆形或近肾形，直径 3 ~ 12 cm，掌状 5 ~ 7 深裂，裂片椭圆形，具深或浅裂齿。雌雄同株，单朵腋生或数朵排成聚伞花序；花萼管钟状，上端具 5 萼齿；花冠辐状，黄色，裂片倒卵形；雄花具 3 雄蕊，药室弯曲折皱；雌花子房下位，纺锤形，密生瘤状突起。瓠果长椭圆形，成熟时肉质，表面具多数不整齐瘤状突起；种子长圆形，成熟时红色。花果期 5 ~ 11 月。

生境分布

广东无野生分布。广东各地均有栽培。

资源情况

常见栽培。药材主要来源于栽培。

采收加工

夏、秋季采收，晒干。

| **功能主治** | 果实，苦，寒。祛暑涤热，明目，解毒。用于热病烦渴，中暑，痢疾，赤眼疼痛，糖尿病，痈肿丹毒，恶疮。根茎，苦，寒。清热解毒。用于痢疾，便血，疔疮肿毒，风火牙痛。叶，用于胃痛，痢疾肿毒，鹅掌风。

| **用法用量** | 内服煎汤，15 ～ 30 g。

| **凭证标本号** | 445224201007014LY。

葫芦科 Cucurbitaceae 苦瓜属 Momordica

木鳖子

Momordica cochinchinensis (Lour.) Spreng.

| **药 材 名** | 木鳖子（药用部位：根、叶、种子。别名：木别子、漏苓子）。 |

| **形态特征** | 大藤本。叶片卵状心形或宽卵状圆形，长、宽均为 10 ~ 20 cm，3 ~ 5 中裂至深裂或不分裂，中间的裂片最大。雌雄异株；雄花为萼筒漏斗状，裂片宽披针形或长圆形，花冠黄色，雄蕊 3；雌花单生于叶腋，子房卵状长圆形，长约 1 cm，密生刺状毛。果实卵球形，先端有 1 短喙，基部近圆形，长 12 ~ 15 cm，成熟时红色，肉质，密生长 3 ~ 4 mm、具刺尖的突起。 |

| **生境分布** | 生于低海拔地区的疏林或灌丛。分布于广东乐昌、乳源、仁化、曲江、翁源、龙门、惠东、高要、阳西、阳春、郁南、信宜、高州、徐闻及广州（市区）。 |

| 资源情况 | 野生资源较少。药材主要来源于野生。

| 采收加工 | 根、叶，夏、秋季采收，晒干；种子，秋、冬季采收，晒干。

| 功能主治 | 苦、微甘，寒；有毒。解毒，消肿止痛。用于化脓性炎症，乳腺炎，淋巴结炎，头癣，痔疮。

| 用法用量 | 内服煎汤，1 ~ 1.5 g。外用适量，研末醋调涂。以外用为主，内服宜慎。

| 凭证标本号 | 440982140726026LY。

葫芦科 Cucurbitaceae 苦瓜属 Momordica

凹萼木鳖 *Momordica subangulata* Bl.

| 药 材 名 | 凹萼木鳖（药用部位：根。别名：木鳖）。

| 形态特征 | 草质藤本。叶卵状心形或宽卵状心形，长 6 ~ 13 cm，宽 4 ~ 9 cm，稀 3 ~ 5 浅裂。雄花萼筒极短，花冠黄色，裂片倒卵形，雄蕊 5；雌花单生于叶腋，花梗纤细，长 5 ~ 6 cm，常在基部有 1 小型苞片。果柄细弱，无毛，长 4 ~ 5 cm；果实卵球形或卵状长圆形，长 6 cm，直径 3 ~ 4 cm，基部和先端渐狭，外面密被柔软的长刺。花期 6 ~ 8 月，果期 8 ~ 10 月。

| 生境分布 | 生于丘陵或村旁的疏林或灌丛。分布于广东乐昌、阳山、高要等。

| 资源情况 | 野生资源较少。药材主要来源于野生。

| 采收加工 | 夏、秋季采挖，晒干。 |

| 功能主治 | 苦、微甘，寒；有毒。解毒，消肿止痛。用于疟腮，喉咙肿痛，目赤，疮疡肿毒，瘰疬。 |

| 用法用量 | 内服煎汤，6 ～ 10 g。 |

| 凭证标本号 | 441284190817228LY。 |

葫芦科 Cucurbitaceae 帽儿瓜属 Mukia

帽儿瓜
Mukia maderaspatana (L.) M. J. Roem.

| 药 材 名 | 帽儿瓜（药用部位：根、花。别名：毛花马㼏儿）。

| 形态特征 | 草质藤本。叶宽卵状五角形或卵状心形，常 3 ~ 5 浅裂，长、宽均为 5 ~ 9 cm，中间的裂片卵状三角形。雌雄同株；雄花萼筒钟状，花冠黄色，雄蕊 3，着生在萼筒上；雌花单生。果实成熟后深红色，球形，直径约 1 cm；种子卵形，长 4 mm，宽 2.5 mm，厚 2.5 mm，两面膨胀，具蜂窝状突起，边缘不明显。花期 4 ~ 8 月，果期 8 ~ 12 月。

| 生境分布 | 生于海拔 400 ~ 800 m 的旷野灌丛或山谷沟边。分布于广东始兴、阳春。

| 资源情况 | 野生资源较少。药材主要来源于野生。
| 采收加工 | 夏、秋季采收，晒干。
| 功能主治 | 理气止痛。用于脾胃气滞疼痛。
| 用法用量 | 内服煎汤，6 ~ 12 g。
| 凭证标本号 | 440825170416021LY。

葫芦科 Cucurbitaceae 佛手瓜属 Sechium

佛手瓜 *Sechium edule* (Jacq.) Swartz.

| 药 材 名 | 佛手瓜（药用部位：果实、嫩苗。别名：洋丝瓜）。

| 形态特征 | 草质藤本。具块根的多年生宿根。叶近圆形，中间的裂片较大，侧面的较小。雌雄同株；雄花萼筒短，裂片展开，花冠辐状，雄蕊 3，花丝合生，花药分离；雌花子房倒卵形，具 5 棱，1 室，具 1 下垂生的胚珠。果实淡绿色，倒卵形，有稀疏短硬毛，长 8 ~ 12 cm，直径 6 ~ 8 cm，上部有 5 纵沟，具 1 种子；种子大型，长达 10 cm，宽 7 cm，卵形，压扁状。花期 7 ~ 9 月，果期 8 ~ 10 月。

| 生境分布 | 广东无野生分布。广东乐昌、乳源、阳山、连山、连南、连州、翁源、南雄、英德、新丰、龙门、从化有栽培。

| 资源情况 | 药材主要来源于栽培。

| **采收加工** | 夏、秋季采收，鲜用。 |

| **功能主治** | 甘，凉。理气和中，疏肝止咳。用于消化不良，胸闷气胀，呕吐，肝胃气痛，气管炎咳嗽多痰。 |

| **用法用量** | 内服适量，煮食。 |

| **凭证标本号** | 441223190720012LY。 |

葫芦科 Cucurbitaceae 罗汉果属 Siraitia

罗汉果
Siraitia grosvenorii (Swingle) C. Jeffrey ex A. M. Lu et Z. Y. Zhang

| 药 材 名 | 罗汉果（药用部位：果实。别名：光果木鳖）。

| 形态特征 | 藤本。叶卵状心形或三角状卵形，长 12 ～ 23 cm，宽 5 ～ 17 cm。花雌雄异株，雄花总状花序，有花 6 ～ 10；花萼钟状，上部直径 8 mm，裂片 5；花冠黄色，直径 2 ～ 3 cm，有黑色腺鳞；雄蕊 5，药室二回折曲；雌花单生或 2 ～ 5 聚生，常有退化雄蕊 5。果实球形或椭圆形，直径 4 ～ 8 cm，果皮薄，干后质脆、易破碎；种子多数，扁圆形，有沟纹，直径 10 ～ 12 mm。花期 5 ～ 7 月，果期 7 ～ 9 月。

| 生境分布 | 广东无野生分布。广东乐昌、乳源有栽培。

| 资源情况 | 有少量栽培。药材主要来源于栽培。

| **采收加工** | 秋、冬季采收，晒干。 |

| **功能主治** | 甘，凉。清肺止咳，润肠通便。用于急、慢性支气管炎，急、慢性扁桃体炎，咽喉炎，急性胃炎，大便秘结。 |

| **用法用量** | 内服煎汤，10 ~ 15 g。 |

| **凭证标本号** | 李学根 201752。 |

葫芦科 Cucurbitaceae 茅瓜属 Solena

茅瓜

Solena heterophylla Lour.

| 药 材 名 | 茅瓜（药用部位：全株。别名：老鼠拉冬瓜、老鼠冬瓜、狗屎瓜）。

| 形态特征 | 草质藤本。块根纺锤状。叶卵形、长圆形、卵状三角形或戟形等，不分裂或 3 ~ 5 浅裂至深裂。雌雄异株；雄花萼筒钟状，花冠黄色，雄蕊 3；雌花单生于叶腋，子房卵形。果实红褐色，长圆状或近球形，长 2 ~ 6 cm，直径 2 ~ 5 cm，表面近平滑。花期 5 ~ 8 月，果期 8 ~ 11 月。

| 生境分布 | 生于山地林中或灌丛。广东各地均有分布。

| 资源情况 | 野生资源较丰富。药材主要来源于野生。

| **采收加工** | 夏、秋季采收，晒干。

| **功能主治** | 甘、苦、微涩，寒。清热除湿，消肿，化痰散结。用于结膜炎，疖肿，咽喉炎，腮腺炎，淋巴结结核，淋病，胃痛，腹泻，赤白痢。

| **用法用量** | 内服煎汤，15～30 g。外用适量，鲜品捣敷。

| **凭证标本号** | 440781190320004LY。

葫芦科 Cucurbitaceae 赤瓟属 Thladiantha

大苞赤瓟 Thladiantha globicarpa A. M. Lu et Z. Y. Zhang

| 药 材 名 |

大苞赤瓟（药用部位：全株。别名：球果赤瓟、越南赤瓟、茸毛赤瓟）。

| 形态特征 |

草质藤本。叶卵状心形，长 8 ~ 15 cm，宽 6 ~ 11 cm。雌雄异株；雄花萼筒钟形，长 5 ~ 6 mm，5 裂，花冠黄色，雄蕊 5；雌花单生，花萼及花冠似雄花，子房长圆形。果柄强壮，有棱沟和疏柔毛，长 3 ~ 5 cm；果实长圆形，长 3 ~ 5 cm，宽 2 ~ 3 cm，两端钝圆，果皮粗糙，有疏长柔毛，并有 10 纵纹；种子宽卵形，长 4 ~ 5 mm，宽 3 ~ 3.5 mm，厚 2 mm，两面稍隆起，有网纹。花果期 5 ~ 11 月。

| 生境分布 |

生于山地林中。分布于广东乐昌、始兴、英德、高要。

| 资源情况 |

野生资源较少。药材主要来源于野生。

| 采收加工 |

夏、秋季采收，鲜用。

| 功能主治 | 解毒，消肿止痛。用于深部脓肿，各种疮疡。

| 用法用量 | 内服煎汤，9 ~ 15 g。

| 凭证标本号 | 441823191203009LY。

葫芦科 Cucurbitaceae 赤瓟属 Thladiantha

长叶赤瓟
Thladiantha longifolia Cogn. ex Oliv.

药材名

长叶赤瓟（药用部位：根）。

形态特征

草质藤本。叶卵状披针形或长卵状三角形，长 8 ~ 18 cm，下部宽 4 ~ 8 cm。雌雄异株；雄花萼筒浅杯状，花冠黄色，雄蕊 5；雌花单生或 2 ~ 3，子房长卵形，两端狭。果实阔卵形，长达 4 cm，果皮有瘤状突起，基部稍内凹；种子卵形，长 6 ~ 8 mm，宽 3 ~ 4.5 mm，厚 1 ~ 1.5 mm，两面稍膨胀，有网脉，边缘稍隆起成环状，先端圆钝。花期 4 ~ 7 月，果期 8 ~ 10 月。

生境分布

生于山谷林下。分布于广东连南、曲江、连平、蕉岭等。

资源情况

野生资源较少。药材主要来源于野生。

采收加工

夏、秋季采挖，晒干。

| **功能主治** | 苦，凉。清热解毒，通乳。用于胃寒腹痛，痛疖，乳汁不下。

| **用法用量** | 内服煎汤，15 ~ 20 g。

| **凭证标本号** | 刘瑛光 257。

葫芦科 Cucurbitaceae 赤飑属 Thladiantha

南赤飑

Thladiantha nudiflora Hemsl. ex Forbes et Hemsl.

| 药 材 名 | 南赤飑（药用部位：根、叶。别名：丝瓜南、野丝瓜）。

| 形态特征 | 草质藤本。叶卵状心形、宽卵状心形或近圆心形，长 5 ~ 15 cm，宽 4 ~ 12 cm。雌雄异株；雄花萼筒宽钟形，花冠黄色，雄蕊 5；雌花单生，花萼和花冠同雄花，子房狭长圆形。果柄粗壮，长 2.5 ~ 5.5 cm；果实长圆形，干后红色或红褐色，长 4 ~ 5 cm，直径 3 ~ 3.5 cm，先端稍钝或有时渐狭，基部钝圆，有时密生毛及不甚明显的纵纹，后渐无毛。花期春、夏季，果期秋季。

| 生境分布 | 生于山谷林中。分布于广东乳源、乐昌、阳山、连平。

| 资源情况 | 野生资源较少。药材主要来源于野生。

| **采收加工** | 夏、秋季采收，晒干。 |

| **功能主治** | 苦，凉。清热解毒，消食化滞。用于痢疾，肠炎，消化不良，脘腹胀闷，毒蛇咬伤。 |

| **用法用量** | 内服煎汤，9 ~ 15 g。外用适量，鲜品捣敷。 |

| **凭证标本号** | 441823200710031LY。 |

王瓜
Trichosanthes cucumeroides (Ser.) Maxim.

| 药 材 名 | 王瓜（药用部位：根、果实、种子）。

| 形态特征 | 藤本。块根纺锤形。叶阔卵形或圆形，长 5 ~ 13 cm，宽 5 ~ 12 cm，常 3 ~ 5 浅裂至深裂，有时不分裂。花雌雄异株；雄花萼筒喇叭形，花冠白色，花药长 3 mm；雌花单生。果实卵圆形、卵状椭圆形或球形，长 6 ~ 7 cm，直径 4 ~ 5.5 cm；种子横长圆形，长 7 ~ 12 mm，宽 7 ~ 14 mm，深褐色，两侧室大，近圆形，直径约 4.5 mm，表面具瘤状突起。花期 5 ~ 8 月，果期 8 ~ 11 月。

| 生境分布 | 生于山谷林中或灌丛。分布于广东翁源、乳源、乐昌、南雄、南海、高要、博罗、龙门、梅县、大埔、阳山、英德、连州、新兴及广州（市区）、云浮（市区）、惠州（市区）。

| **资源情况** | 野生资源较丰富。药材主要来源于野生。

| **采收加工** | 夏、秋季采收，晒干。

| **功能主治** | 清热，生津，消瘀。用于肺热咳嗽，胸痹，结胸，消渴，便秘，痈肿疮毒。

| **用法用量** | 内服煎汤，6～9g。外用适量，研末调敷。

| **凭证标本号** | 441823190930009LY。

葫芦科 Cucurbitaceae 栝楼属 Trichosanthes

栝楼
Trichosanthes kirilowii Maxim.

药材名

瓜蒌（药用部位：果实）。

形态特征

草质藤本。块根圆柱状。叶近圆形或心形，长、宽均为 8 ~ 20 cm，掌状 5 ~ 7 深裂。花白色，单性异株；雄花单生或 3 ~ 8 总状，雌花单生；花萼筒状，长约 2.5 cm，裂片披针形；花冠直径约 3.5 cm；裂片 5，倒卵形，边缘有丝状流苏；雄蕊 3，花药靠合，药室对折；子房下位，花柱长约 2 cm。瓠果肉质，椭圆形或球形，直径 6 ~ 10 cm，成熟时黄褐色；种子卵状椭圆形，压扁。花期 5 ~ 8 月，果期 8 ~ 10 月。

生境分布

生于山谷林中或灌丛。分布于广东乐昌、乳源、仁化、高要及东莞（市区）。

资源情况

野生资源较丰富。药材主要来源于野生。

采收加工

秋季果实成熟时连果柄剪下，置通风处阴干。

| **药材性状** | 本品呈宽椭圆状球形或圆球形，长 6 ~ 10 cm。外表面橙红色或橙黄色，皱缩或平滑，顶部有圆形花柱残基，基部有残存果柄。质脆，易破裂，内表面黄白色，有橙红色筋脉，果瓤橙黄色，黏稠，与种子黏结成团。具焦糖气，味微酸、甜。以大小均匀、完好无破损、色橙红者为佳。 |

| **功能主治** | 甘、微苦，寒。消热除痰，宽胸散结，润燥滑肠。用于肺热咳嗽，痰浊黄稠，胸痹心痛，结胸痞满，乳痈，肺痈，肠痈肠痛，大便秘结，心绞痛，便秘。 |

| **用法用量** | 内服煎汤，6 ~ 12 g。不可与乌头同用。 |

| **凭证标本号** | 441284190805121LY。 |

葫芦科 Cucurbitaceae 栝楼属 Trichosanthes

长萼栝楼 *Trichosanthes laceribractea* Hayata

药 材 名	长萼栝楼（药用部位：果实。别名：裂苞栝楼、槭叶栝楼）。
形态特征	草本藤本。叶近圆形或阔卵形，长 5 ~ 16 cm，宽 4 ~ 15 cm，常 3 ~ 7 浅裂至深裂。花雌雄异株；雄花萼筒狭线形，花冠白色，裂片倒卵形；雌花单生，萼筒圆柱状，花冠同雄花，子房卵形。果实球形至卵状球形，直径 5 ~ 8 cm，成熟时橙黄色至橙红色，平滑；种子长方形或长方状椭圆形，长 10 ~ 14 mm，宽 5 ~ 8 mm，厚 4 ~ 5 mm，灰褐色，两端钝圆或平截。花期 7 ~ 8 月，果期 9 ~ 10 月。
生境分布	生于山谷林中。分布于广东乐昌、乳源、始兴、连州、仁化、翁源、阳春、德庆、信宜、徐闻。

| 资源情况 | 野生资源较丰富。药材主要来源于野生。

| 采收加工 | 秋季果实成熟时采摘,晒干。

| 功能主治 | 甘、苦,寒。润肺,化痰,散结,滑肠。用于痰热咳嗽,结胸,消渴,便秘。

| 用法用量 | 内服煎汤,9 ~ 20 g。

| 凭证标本号 | 441825190808004LY。

全缘栝楼 *Trichosanthes ovigera* Bl.

| 药 材 名 | 全缘栝楼（药用部位：果实、根。别名：假栝蒌）。

| 形态特征 | 草质藤本。叶卵状心形至近圆心形，长 7 ～ 19 cm，宽 7 ～ 8 cm，不分裂、具 3 齿裂或 3 ～ 5 中裂至深裂。花雌雄异株；雄花萼筒狭长，花冠白色，雌花单生，萼筒圆柱形，子房长卵形。果实卵圆形或纺锤状椭圆形，长 5 ～ 7 cm，直径 2.5 ～ 4 cm，具条纹，成熟时橙红色；种子三角形，长 7 ～ 9 mm，宽 7 ～ 8 mm，淡黄褐色或深褐色，3 室，两侧室小，中央环带宽而隆起。花期 5 ～ 9 月，果期 9 ～ 12 月。

| 生境分布 | 生于山谷丛林、山坡疏林、灌丛或林缘。分布于广东始兴、仁化、翁源、乳源、新丰、乐昌、南雄、新会、徐闻、信宜、怀集、封开、高要、

惠东、龙门、连平、和平、阳西、阳春、阳山、连山、英德、连州及广州（市区）、
清远（市区）、深圳（市区）。

| 资源情况 | 野生资源较丰富。药材主要来源于野生。

| 采收加工 | 夏、秋季采收，晒干。

| 功能主治 | 苦，寒；有小毒。清热解毒，利尿消肿，散瘀止痛。用于毒蛇咬伤，急性扁桃
体炎，咽喉炎，痈疖肿毒，跌打损伤，小便不利，胃痛。

| 用法用量 | 内服煎汤，6～9 g。外用适量，研末调敷。

| 凭证标本号 | 441823191001017LY。

葫芦科 Cucurbitaceae 栝楼属 Trichosanthes

趾叶栝楼 *Trichosanthes pedata* Merr. et Chun

| 药 材 名 | 趾叶栝楼（药用部位：全株或块根。别名：叉指叶栝蒌）。

| 形态特征 | 草质藤本。趾状复叶具小叶 3 ~ 5。雄总状花序，萼筒狭漏斗形，花冠白色，裂片倒卵形，长 10 ~ 15 mm，宽 8 ~ 12 mm，先端具流苏，花药柱长 7 mm，宽 4 mm，药隔有毛；雌花单生，萼筒圆柱形，长约 3 mm，直径约 5 mm，萼齿和花冠同雄花，子房卵形，长 1.5 cm，直径 8 mm，无毛。果实球形，直径 5 ~ 6 cm，橙黄色，光滑无毛；果柄长 1（~ 3）cm；种子卵形，鼓胀，灰褐色，长 10 ~ 12 mm，宽约 8 mm，先端圆形，种脐压扁，三角形，无边棱及线。花期 6 ~ 8 月，果期 7 ~ 12 月。

| 生境分布 | 生于山谷林中或旷野灌丛。分布于广东乐昌、始兴、南雄、连南、英德、

阳山、连平、翁源、新丰、从化、龙门、和平、梅县、平远、博罗、开平、新兴、郁南、阳春、阳西、信宜、高州及云浮（市区）。

| **资源情况** | 野生资源较丰富。药材主要来源于野生。

| **采收加工** | 夏、秋季采收，晒干。

| **功能主治** | 清热解毒。用于疮疖。

| **用法用量** | 内服煎汤，15 ~ 30 g。

| **凭证标本号** | 441825191001020LY。

葫芦科 Cucurbitaceae 栝楼属 Trichosanthes

两广栝楼 *Trichosanthes reticulinervis* C. Y. Wu ex S. K. Chen

| **药 材 名** | 两广栝楼（药用部位：根。别名：两广瓜蒌）。

| **形态特征** | 草质藤本。叶卵状至阔卵状心形，长 15 ~ 20 cm，宽 10 ~ 18 cm。花雌雄异株；雄花萼筒钟状，密被长柔毛，花冠白色，裂片扇形，花药柱长圆形；雌花单生，萼筒长约 1 cm，花冠白色，裂片狭长圆形，长约 2 cm，宽约 7 mm，被短柔毛，具丝状长流苏，子房卵形，长 2.5 cm，宽 2 cm，密被灰色伸展的长柔毛。果实卵圆形，长约 6 cm，直径约 5 cm，密被长柔毛。花期 5 ~ 6 月，果期 7 ~ 8 月。

| **生境分布** | 生于山谷林中或灌丛。分布于广东连山、高要、阳春、封开。

| **资源情况** | 野生资源较少。药材主要来源于野生。

| 采收加工 | 夏、秋季采挖，晒干。

| 功能主治 | 甘、微苦，寒。清热化痰，宽胸散结。用于热病烦渴，肺热燥咳，消渴，疮疡肿毒。

| 用法用量 | 内服煎汤，10 ~ 20 g。

| 凭证标本号 | 441825190801003LY。

葫芦科 Cucurbitaceae 栝楼属 Trichosanthes

中华栝楼
Trichosanthes rosthornii Harms

| 药 材 名 | 中华栝楼（药用部位：果实。别名：双边栝楼）。

| 形态特征 | 草质藤本。叶阔卵形至近圆形，长 8 ~ 15 cm，宽 7 ~ 11 cm，3 ~ 7
深裂，常 5 深裂。花雌雄异株；雄花萼筒狭喇叭形，花冠白色，花
药柱长圆形；雌花单生，萼筒圆筒形，裂片和花冠同雄花，子房椭
圆形。果实球形或椭圆形，长 8 ~ 11 cm，直径 7 ~ 10 cm。花期 6 ~ 8
月，果期 8 ~ 10 月。

| 生境分布 | 生于山谷林中或灌丛。广东各地均有分布。

| 资源情况 | 野生资源较丰富。药材主要来源于野生。

| 采收加工 | 秋、冬季采收，晒干。

| 功能主治 | 甘、微苦，寒。清热化痰，宽胸散结，润燥滑肠。用于肺热咳嗽，胸痹，结胸，消渴，便秘，痈肿疮毒。

| 用法用量 | 内服煎汤，9 ～ 20 g。

| 凭证标本号 | 440783200102017LY。

葫芦科 Cucurbitaceae 栝楼属 Trichosanthes

红花栝楼
Trichosanthes rubriflos Thorel ex Cayla

药材名

红花栝楼（药用部位：果实。别名：红花瓜蒌）。

形态特征

草质藤本。叶阔卵形或近圆形，长、宽均为7～20 cm，3～7掌状深裂。花雌雄异株；雄花萼筒长4～6 cm，红色，先端扩大，花冠粉红色至红色，花药柱长约11 mm；雌花单生，萼筒筒状，裂片和花冠同雄花，子房卵形。果实阔卵形或球形，长7～9.5 cm，直径5.5～8 cm，成熟时红色。花期5～11月，果期8～12月。

生境分布

生于山谷密林、山坡疏林及灌丛。分布于广东博罗、连山及广州（市区）。

资源情况

野生资源较少。药材主要来源于野生。

采收加工

秋、冬季采收，晒干。

| **功能主治** | 甘、微苦，寒。清肺化痰，解毒散结。用于肺热咳嗽，胸闷胸痛，便秘，疟疾，疮疖肿毒。 |

| **用法用量** | 内服煎汤，5 ～ 10 g。 |

| **凭证标本号** | 叶华谷等 4905。 |

葫芦科 Cucurbitaceae 马㼏儿属 Zehneria

马㼏儿
Zehneria japonica (Thunb.) H. Y. Liu [*Zehneria indica* (Lour.) Keraudren]

| 药 材 名 | 马㼏儿（药用部位：全株或块根。别名：老鼠拉冬瓜、马交儿）。

| 形态特征 | 草质藤本。叶三角状卵形、卵状心形或戟形，不分裂或 3 ~ 5 浅裂。雌雄同株；雄花花萼宽钟形，花冠淡黄色，雄蕊 3，2 枚 2 室，1 枚 1 室；雌花花冠阔钟形，子房狭卵形。果柄纤细，无毛，长 2 ~ 3 cm；果实长圆形或狭卵形，两端钝，外面无毛，长 1 ~ 1.5 cm，成熟后橘红色或红色。花期 4 ~ 7 月，果期 7 ~ 10 月。

| 生境分布 | 生于山地或旷野灌丛。广东各地均有分布。

| 资源情况 | 野生资源较丰富。药材主要来源于野生。

| **采收加工** | 夏、秋季采收，晒干。 |

| **功能主治** | 甘、苦，凉。清热解毒，散结消肿。用于咽喉肿痛，结膜炎；外用于疮疡肿毒，淋巴结结核，睾丸炎，湿疹。 |

| **用法用量** | 内服煎汤，15 ～ 30 g。 |

| **凭证标本号** | 440882180126502LY。 |

葫芦科 Cucurbitaceae 马𤫩儿属 Zehneria

钮子瓜 Zehneria maysorensis (Wight et Arn.) Arn.

| 药 材 名 | 钮子瓜（药用部位：全株。别名：野杜瓜）。

| 形态特征 | 草质藤本。叶阔卵形或稀三角状卵形，长、宽均为 3 ~ 10 cm。雌雄同株；雄花萼筒宽钟状，花冠白色，雄蕊 3；雌花子房卵形。果柄细，无毛，长 0.5 ~ 1 cm；果实球状或卵状，直径 1 ~ 1.4 cm，浆果状，外面光滑无毛；种子卵状长圆形，扁压，平滑，边缘稍拱起。花期 4 ~ 8 月，果期 8 ~ 11 月。

| 生境分布 | 生于海拔 500 ~ 1 000 m 的山林潮湿处。分布于广东乐昌、始兴、仁化、阳山、英德、翁源、龙门、和平、蕉岭、斗门、怀集及深圳（市区）。

| 资源情况 | 野生资源较丰富。药材主要来源于野生。

| 采收加工 | 夏、秋季采收，晒干。

| 功能主治 | 甘，平。清热，镇痉，解毒。用于发热，头痛，咽喉肿痛，疮疡肿毒，淋证，小儿高热痉挛。

| 用法用量 | 内服煎汤，15 ~ 30 g。

| 凭证标本号 | 441825191002035LY。

秋海棠科 Begoniaceae 秋海棠属 Begonia

周裂秋海棠 *Begonia circumlobata* Hance

| 药 材 名 | 周裂秋海棠（药用部位：全草。别名：野海棠）。

| 形态特征 | 草本。叶宽卵形至扁圆形，长 10 ~ 17 cm，基部近截形或微心形，5 ~ 6 深裂。二至三回二歧聚伞花序；雄花花被片 4，玫瑰色，雄蕊多数，花丝长 1 ~ 2.6 mm，花药倒卵形；雌花花被片 5，近圆形，内面的逐渐变小，子房倒卵状长圆形，疏被毛，具不等 3 翅，柱头向外增厚并螺旋状扭曲成环状，带刺状乳突。蒴果下垂，具不等 3 翅；种子长圆形，淡褐色。花期 6 月开始，果期 7 ~ 9 月。

| 生境分布 | 生于海拔 250 ~ 1 100 m 的山谷林下阴湿处。分布于广东连山、博罗、高要、怀集、信宜、廉江。

| **资源情况** | 野生资源较丰富。药材主要来源于野生。 |

| **采收加工** | 夏、秋季采收，晒干。 |

| **功能主治** | 酸，凉。消炎，镇咳。用于咳嗽，中耳炎。 |

| **用法用量** | 内服煎汤，15 ～ 30 g。 |

| **凭证标本号** | 高锡朋 51782。 |

秋海棠科 Begoniaceae 秋海棠属 Begonia

粗喙秋海棠
Begonia crassirostris Irmsch.

| 药 材 名 | 粗喙秋海棠（药用部位：全草。别名：肉半边莲、黄疸草）。

| 形态特征 | 草本。球茎膨大，呈不规则块状。叶片两侧极不相等，披针形至卵状披针形，长 8.5 ～ 17 cm，宽 3.4 ～ 7 cm。二歧聚伞花序；雄花花被片 4，雄蕊多数；雌花花被片 4，和雄花花被片相似，子房近球形。蒴果下垂，近球形，直径 17 ～ 18 mm，无毛，先端具粗厚长喙，无翅，无棱；果柄长约 12mm。花期 4 ～ 5 月，果期 7 月。

| 生境分布 | 生于海拔 600 ～ 1 400 m 的林下和山谷水边背阴处。分布于广东乐昌、连山、翁源、连平、大埔、博罗、高要、新兴、信宜及广州（市区）、深圳（市区）。

| **资源情况** | 野生资源较丰富。药材主要来源于野生。 |

| **采收加工** | 夏、秋季采收，晒干。 |

| **功能主治** | 酸、涩，凉。清热解毒，消肿止痛。用于咽喉炎，牙痛，淋巴结结核，毒蛇咬伤；外用于烫火伤。 |

| **用法用量** | 内服煎汤，15 ～ 24 g。外用适量，捣敷。 |

| **凭证标本号** | 441623180628047LY。 |

紫背天葵

Begonia fimbristipula Hance

| 药 材 名 |

紫背天葵（药用部位：全草。别名：散血子、观音菜、血皮菜）。

| 形态特征 |

草本。根茎球状。叶片两侧略不相等，宽卵形，长 6 ~ 13 cm，宽 4.8 ~ 8.5 cm。花葶高 6 ~ 18 cm；花粉红色；雄花花被片 4，红色；雄蕊多数；雌花花被片 3，子房长圆形，具不等 3 翅。蒴果下垂，具不等 3 翅，大的翅近舌状，长 1.1 ~ 1.4 cm，宽约 1 cm，上方的边平，下方的边弧形，其余 2 翅窄，长约 3 mm，上方的边平，下方的边斜。花期 5 月，果期 6 ~ 9 月。

| 生境分布 |

生于海拔 500 ~ 1 120 m 的山谷林下阴湿石缝中。分布于广东乳源、乐昌、始兴、连州、阳山、英德、从化、平远、蕉岭、大埔、博罗、高要、阳春、信宜、封开及清远（市区）、深圳（市区）。

| 资源情况 |

野生资源较少。药材主要来源于野生。

| **采收加工** | 夏、秋季采收，晒干。

| **功能主治** | 甘、淡，凉。清热凉血，止咳化痰，散瘀消肿。用于中暑发热，肺热咳嗽，咯血，淋巴结结核，血瘀腹痛；外用于扭伤，挫伤，骨折，烫火伤。

| **用法用量** | 内服煎汤，6～9 g。外用适量，鲜品捣敷。

| **凭证标本号** | 441422190726403LY。

秋海棠科 Begoniaceae 秋海棠属 Begonia

秋海棠
Begonia grandis Dry. [*Begonia evansiana* Andr.]

| 药 材 名 | 秋海棠（药用部位：全草。别名：无名相思草、无名断肠草、日本秋海棠）。

| 形态特征 | 草本。叶宽卵形至卵形，长 10 ~ 18 cm，宽 7 ~ 14 cm，先端渐尖至长渐尖，基部心形，偏斜。花葶高 7.1 ~ 9 cm；花粉红色；雄花花被片 4，雄蕊多数；雌花花被片 3，子房长圆形，具不等 3 翅或 2 短翅退化成檐状。蒴果下垂，具不等 3 翅，大的斜长圆形或三角状长圆形，长约 1.8 cm。花期 7 月开始，果期 8 月开始。

| 生境分布 | 生于山谷林下阴湿处。分布于广东连南、紫金、惠阳、封开。

| 资源情况 | 野生资源较少。药材主要来源于野生。

| 采收加工 | 夏、秋季采收，晒干。 |

| 功能主治 | 酸、涩，凉。凉血止血，散瘀，调经。用于吐血，衄血，咯血，崩漏，带下，月经不调，痢疾，跌打损伤。 |

| 用法用量 | 内服煎汤，9 ~ 20 g。外用适量，研末敷。 |

| 凭证标本号 | 440523190717011LY。 |

秋海棠科 Begoniaceae 秋海棠属 Begonia

大香秋海棠 Begonia handelii Irmsch.

| **药材名** | 大香秋海棠（药用部位：全草。别名：香秋海棠、短茎秋海棠）。 |

| **形态特征** | 草本。根茎圆柱形，直径约 8 mm。叶宽卵形，长 8 ~ 11 cm，宽 6 ~ 10 cm，先端急尖或短渐尖，基部偏斜。花葶有棱；花大，极香，白色，通常 4；雄花花被片 4，雄蕊多数；雌花花被片 4，子房倒卵球形，4 室，无翅，花柱 4，短，有分枝，柱头略膨大，呈螺旋状扭曲，并带刺状乳头。花期 1 月。 |

| **生境分布** | 生于海拔 150 ~ 850 m 的林下阴湿处。分布于广东高要、信宜。 |

| **资源情况** | 野生资源较少。药材主要来源于野生。 |

采收加工	夏、秋季采收，鲜用。
功能主治	清热解毒。外用于疮疖。
用法用量	外用适量，鲜品捣敷。
凭证标本号	黄志 32337。

秋海棠科 Begoniaceae 秋海棠属 Begonia

癞叶秋海棠 *Begonia leprosa* Hance

| **药 材 名** | 癞叶秋海棠（药用部位：全草。别名：团扇秋海棠、石上莲、石上秋海棠）。

| **形态特征** | 草本。根茎粗壮，结节状。叶片两侧极不相等，近圆形或宽卵圆形，长 4 ~ 8 cm，宽 4.5 ~ 9 cm，基部偏斜。花白色或粉红色；雄花花被片 4，雄蕊多数；雌花花被片 4，子房长圆形，3 室。蒴果下垂，纺锤状，长 1.2 ~ 2 cm，外面有圆形窝孔，无翅；果柄长 1.2 ~ 1.5 mm，种子椭圆形，表面有窝孔。花期 9 月，果期 10 月开始。

| **生境分布** | 生于海拔 500 ~ 1 300 m 的林下阴湿处或潮湿岩石上。分布于广东连州、阳山、阳春、信宜、廉江。

| **资源情况** | 野生资源较少。药材主要来源于野生。

| **采收加工** | 夏、秋季采收，晒干。

| **功能主治** | 酸、微涩，凉。清热除湿，利水软坚，消肿止痛。用于肝硬化腹水，暑热口渴。

| **用法用量** | 内服煎汤，10 ～ 20 g。

| **凭证标本号** | 441823190723008LY。

秋海棠科 Begoniaceae 秋海棠属 Begonia

竹节秋海棠 *Begonia maculata* Raddi

| **药 材 名** | 竹节秋海棠（药用部位：全草）。

| **形态特征** | 草本。茎直立或披散，高达 1.5 m。叶斜长圆形至长圆状卵形，长
10 ~ 20 cm，宽 5 ~ 6 cm，基部斜心形。聚伞花序腋生，下垂；
花淡红色或白色；雄花花被片 4，雄蕊多数；雌花花被片 5，其中
4 近等大，卵圆形，长约 14 mm，最内面 1 较小，椭圆形，长约
10 mm；子房 3 室，具淡红色的翅。蒴果长约 2.5 cm，具 3 等大的翅。
花期 5 ~ 10 月。

| **生境分布** | 广东无野生分布。广东各地均有栽培。

资源情况	有少量栽培。药材主要来源于栽培。
采收加工	夏、秋季采收，鲜用。
功能主治	散瘀消肿。外用于跌打肿痛。
用法用量	外用适量，鲜品捣敷。
凭证标本号	黄志 32337。

秋海棠科 Begoniaceae 秋海棠属 *Begonia*

裂叶秋海棠 *Begonia palmata* D. Don

| **药 材 名** | 裂叶秋海棠（药用部位：全草）。

| **形态特征** | 草本。根茎伸长，节膨大。叶斜卵形或偏圆形，长 12 ~ 20 cm，宽 10 ~ 16 cm，基部微心形至心形，掌状 3 ~ 7 浅裂、中裂至深裂。花玫瑰色、白色至粉红色；雄花花被片 4，雄蕊多数；雌花花被片 4 ~ 5，子房长圆状倒卵形。蒴果下垂，倒卵球形，具不等 3 翅，大的翅长圆形或斜三角形，长 1.1 ~ 2 cm，有明显纵纹，无毛，其余 2 翅窄。花期 8 月，果期 9 月开始。

| **生境分布** | 生于林下和山谷阴湿处。广东各地山区均有分布。

| **资源情况** | 野生资源较丰富。药材主要来源于野生。

| 采收加工 | 夏、秋季采收，晒干。

| 功能主治 | 酸，凉。清热解毒，散瘀消肿。用于感冒，急性支气管炎，风湿性关节炎，跌打内伤瘀血，闭经，肝脾肿大；外用于毒蛇咬伤，跌打肿痛。

| 用法用量 | 内服煎汤，15 ~ 30 g。外用适量，鲜品捣敷。

| 凭证标本号 | 441825190502027LY。

秋海棠科 Begoniaceae 秋海棠属 Begonia

掌裂叶秋海棠 *Begonia pedatifida* Lévl.

| 药 材 名 | 掌裂叶秋海棠（药用部位：全草。别名：水八角、水蜈蚣）。

| 形态特征 | 草本。根茎粗。叶扁圆形至宽卵形，长 10 ~ 17 cm，基部截形至心形，（4 ~ ）5 ~ 6 深裂，几达基部。花白色或带粉红色；雄花花被片 4，雄蕊多数；雌花花被片 5，不等大，子房倒卵球形。蒴果下垂，倒卵球形，具不等 3 翅，大的翅三角形或斜舌状，长约 1.2 cm，宽约 1 cm，上方的边斜，先端圆钝，其余 2 翅短，三角形，长 4 ~ 5 mm，先端钝，均无毛。花期 6 ~ 7 月，果期 10 月开始。

| 生境分布 | 生于山沟林下潮湿处。分布于广东乐昌、乳源。

| 资源情况 | 野生资源较少。药材主要来源于野生。

| 采收加工 | 夏、秋季采收，鲜用或晒干。 |

| 功能主治 | 酸，平。散瘀消肿，止血止痛。用于吐血，子宫出血，胃痛，风湿性关节炎；外用于跌打肿痛，毒蛇咬伤。 |

| 用法用量 | 内服煎汤，15 ～ 30 g。外用适量，鲜品捣敷。 |

| 凭证标本号 | 441827180810056LY。 |

秋海棠科 Begoniaceae 秋海棠属 Begonia

蚬肉秋海棠 *Begonia semperflorens* Link et Otto

| 药 材 名 | 蚬肉秋海棠（药用部位：全草。别名：四季秋海棠）。

| 形态特征 | 肉质草本，高 15 ~ 30 cm。根纤维状。茎直立，肉质，无毛，基部多分枝，多叶。叶卵形或宽卵形，长 5 ~ 8 cm，基部略偏斜，边缘有锯齿和睫毛，两面光亮，绿色，但主脉通常微红色。花淡红色或带白色，数朵聚生于腋生的总花梗上；雄花较大，有花被片 4；雌花稍小，有花被片 5。蒴果绿色，有带红色的翅。花期全年。

| 生境分布 | 广东无野生分布。广东各地均有栽培。

| 资源情况 | 有少量栽培。药材主要来源于栽培。

| 采收加工 | 夏、秋季采收，鲜用。

| 功能主治 | 酸、涩，凉。清热解毒。外用于蛇咬伤，疮疖。

| 用法用量 | 外用适量，鲜品捣敷。

| 凭证标本号 | 441823191203001LY。

番木瓜科 Caricaceae　番木瓜属 Carica

番木瓜 *Carica papaya* L.

| 药 材 名 | 番木瓜（药用部位：果实。别名：树冬瓜、满山抛、番瓜）。

| 形态特征 | 小乔木。叶大，聚生于茎先端，近盾形，直径可达 60 cm，通常 5 ~ 9 深裂；叶柄中空，长 60 ~ 100 cm。花单性或两性；雄花排列成圆锥花序，长达 1 m，下垂，花冠乳黄色，雄蕊 10；雌花花冠裂片 5，分离，乳黄色或黄白色，花冠管长 1.9 ~ 2.5 cm。浆果肉质，成熟时橙黄色或黄色，长圆球形、倒卵状长圆球形、梨形或近圆球形，长 10 ~ 30 cm，果肉柔软多汁，味香甜。

| 生境分布 | 广东无野生分布。广东各地均有栽培。

| 资源情况 | 有大量栽培。药材主要来源于栽培。

| 采收加工 | 全年均可采收，鲜用或晒干。 |

| 功能主治 | 甘，平。消食健胃，滋补催乳，舒筋通络。用于脾胃虚弱，食欲不振，乳汁稀少，风湿关节疼痛，肢体麻木，胃及十二指肠疼痛。 |

| 用法用量 | 内服煎汤，15 ~ 30 g。 |

| 凭证标本号 | 440523190711031LY。 |

仙人掌科 Cactaceae 仙人球属 Echinopsis

仙人球
Echinopsis multiplex Pfeiff. et Otto

| **药 材 名** | 仙人球（药用部位：全草。别名：天鹅蛋、仙人拳）。

| **形态特征** | 肉质草本，高约15 cm。茎球形、椭圆形或倒卵形，绿色，肉质，有纵棱 12 ~ 14，棱上有丛生的针刺，通常每丛 6 ~ 10，少数达 15，长 2 ~ 4 cm，硬直，黄色或黄褐色，长短不一，辐射状，刺丛内着生密集的白绒毛。花大型，侧生，着生于刺丛中，粉红色，夜间开放，长喇叭状，长 15 ~ 20 cm，花筒外被鳞片，鳞片腋部具长绵毛。浆果球形或卵形，无刺；种子细小，多数。花期 5 ~ 6 月。

| **生境分布** | 广东无野生分布。广东广州（市区）、深圳（市区）、珠海（市区）、中山（市区）、湛江（市区）有栽培。

| **资源情况** | 有少量栽培。药材主要来源于栽培。 |

| **采收加工** | 夏、秋季采收，鲜用或晒干。 |

| **功能主治** | 甘，平。清热解毒，消肿止痛。用于肺热咳嗽，痔疮；外用于蛇虫咬伤，烫伤。 |

| **用法用量** | 内服煎汤，15 ~ 30 g。外用适量，鲜品捣汁涂敷。 |

仙人掌科 Cactaceae 昙花属 Epiphyllum

昙花 *Epiphyllum oxypetalum* (DC.) Ham.

| **药 材 名** | 昙花（药用部位：叶状茎、花。别名：琼花、凤花、月来美人）。

| **形态特征** | 灌木。分枝多数，叶状侧扁，披针形至长圆状披针形，长 15～100 cm，宽5～12 cm。花单生于枝侧的小窠，夜间开放，芳香，长25～30 cm，直径10～12 cm；萼状花被片绿白色、淡琥珀色或带红晕；瓣状花被片白色；雄蕊多数，花药淡黄色，长3～3.5 mm；花柱白色，长20～22 cm，直径3～4 mm，柱头15～20，狭线形。浆果长球形，具纵棱脊，无毛，紫红色。

| **生境分布** | 广东无野生分布。广东广州（市区）、深圳（市区）、珠海（市区）、中山（市区）、阳江（市区）、湛江（市区）有栽培。

| **资源情况** | 有少量栽培。药材主要来源于栽培。

| 采收加工 | 叶状茎，全年均可采收，鲜用；花，夏、秋采收，晒干。 |

| 功能主治 | 甘、淡，微凉。叶状茎，用于跌打损伤。花，用于肺结核。 |

| 用法用量 | 内服煎汤，10 ~ 20 g。外用适量，鲜叶捣敷。 |

| 凭证标本号 | 曾怀德 29640。 |

量天尺

Hylocereus undatus (Haw.) Britt. et Rose

| 药材名 | 量天尺（药用部位：花、茎。别名：剑花、霸王花、霸王鞭）。

| 形态特征 | 灌木。具 3 角或棱，棱常翅状；每小窠具 1 ~ 3 硬刺。花漏斗状，长 25 ~ 30 cm，直径 15 ~ 25 cm，夜间开放；花托及花托筒密被淡绿色或黄绿色鳞片，鳞片卵状披针形至披针形；萼状花被片黄绿色；瓣状花被片白色，长圆状倒披针形，长 12 ~ 15 cm；花丝黄白色，长 5 ~ 7.5 cm，花药长 4.5 ~ 5 mm，淡黄色；花柱黄白色，长 17.5 ~ 20 cm。浆果红色，长球形，长 7 ~ 12 cm，直径 5 ~ 10 cm。花期 7 ~ 12 月。

| 生境分布 | 广东无野生分布。广东连平、龙门、和平、兴宁、蕉岭、台山、恩平、

高要、四会、顺德、阳西、阳春、徐闻及河源（市区）、广州（市区）、深圳（市区）、珠海（市区）、中山（市区）、阳江（市区）、茂名（市区）、湛江（市区）有栽培。

| **资源情况** | 有少量栽培。药材主要来源于栽培。

| **采收加工** | 夏、秋季采收，鲜用或晒干。

| **功能主治** | 甘、淡，微凉。花，清热润肺，止咳。用于肺结核，支气管炎，颈淋巴结结核。茎，舒筋活络，解毒。外用于骨折，腮腺炎，疮肿。

| **用法用量** | 内服煎汤，15 ~ 30 g。外用适量，鲜品捣敷。

| **凭证标本号** | 石国良 10884。

仙人掌

Opuntia dillenii (Ker Gawl.) Haw.

药材名

仙人掌（药用部位：全株。别名：霸王树、山巴掌）。

形态特征

灌木。上部分枝宽倒卵形、倒卵状椭圆形或近圆形，长 10 ~ 35 cm，宽 7.5 ~ 25 cm，厚 1.2 ~ 2 cm；小窠具 3 ~ 10 刺。花辐状，直径 5 ~ 6.5 cm；萼状花被片宽倒卵形至狭倒卵形；瓣状花被片倒卵形或匙状倒卵形。浆果倒卵球形，先端凹陷，直径 2.5 ~ 4 cm，紫红色，每侧具 5 ~ 10 凸起的小窠，小窠具倒刺刚毛和钻形刺。花期 6 ~ 12 月。

生境分布

生于干旱的海边砂地或旷野。分布于广东台山、阳西、电白、徐闻、雷州及珠海（市区）、阳江（市区）、湛江（市区）。广东各地均有栽培。

资源情况

野生资源较少。药材主要来源于野生。

采收加工

全年均可采收，鲜用。

| **功能主治** | 苦，凉。清热解毒，散瘀消肿，健胃止痛，镇咳。用于复合性胃和十二指肠溃疡，急性痢疾，咳嗽；外用于流行性腮腺炎，乳腺炎，痈疖肿毒，蛇咬伤，烫火伤。

| **用法用量** | 内服煎汤，15～30 g。外用适量，鲜品捣敷。

蟹爪兰
Schlumbergera truncata (Haw.) Moran

| 药 材 名 | 蟹爪兰（药用部位：全草。别名：螃蟹兰、蟹爪莲、圣诞仙人掌）。

| 形态特征 | 草本。无叶。茎无刺，多分枝，常悬垂，老茎木质化；节间长圆形至倒卵形，长 3 ～ 6 cm，宽 1.5 ～ 2.5 cm，鲜绿色，有时稍带紫色。花单生于枝顶，玫瑰红色，长 6 ～ 9 cm，两侧对称；花萼 1 轮，基部短筒状，先端分离；花冠数轮，下部长筒状，上部分离，越向内则筒越长；雄蕊多数，2 轮，伸出，向上拱弯；花柱长于雄蕊，深红色，柱头 7 裂。浆果梨形，红色，直径约 1 cm。

| 生境分布 | 广东无野生分布。广东广州（市区）、深圳（市区）、珠海（市区）、中山（市区）、阳江（市区）、湛江（市区）有栽培。

| **资源情况** | 有少量栽培。药材主要来源于栽培。

| **采收加工** | 全年均可采收，鲜用。

| **功能主治** | 苦，凉。清热解毒，散瘀消肿。外用于疮疖肿痛。

| **用法用量** | 外用适量，鲜品捣敷。

山茶科 Theaceae 杨桐属 *Adinandra*

尖叶川杨桐

Adinandra bockiana Pritzel ex Diels var. *acutifolia* (Hand.-Mazz.) Kobuski

| 药 材 名 | 尖叶川杨桐（药用部位：全株。别名：尖叶杨桐、尖叶川黄瑞木、湖南杨桐）。

| 形态特征 | 小乔木。叶长圆形至长圆状卵形，长 5 ~ 12 cm，宽 2 ~ 3.5 cm。花 1 ~ 2 腋生；萼片 5，阔卵形或卵圆形；花瓣 5，阔卵形；雄蕊长约 5 mm，花丝长 1.5 ~ 2.5 mm；子房圆球形，被绢毛，3 室。果实圆球形，疏被绢毛，成熟时紫黑色，直径约 1 cm，宿存花柱长约 1 cm，无毛；种子多数，淡红褐色，有光泽，表面具网纹。花期 6 ~ 8 月，果期 9 ~ 11 月。

| 生境分布 | 生于海拔 250 ~ 800 m 的山地灌丛或密林阴湿处。分布于广东乐昌、始兴、乳源、连州、连山、连南、仁化、阳山、连平、龙门、和平、

兴宁、蕉岭、阳春及河源（市区）。

| **资源情况** | 野生资源较丰富。药材主要来源于野生。

| **采收加工** | 夏、秋季采收，切片，晒干。

| **功能主治** | 辛，微温。疏风散寒，理气止痛。用于风寒感冒，头痛，胃痛。

| **用法用量** | 内服煎汤，6～15 g。

| **凭证标本号** | 邓良 7564。

山茶科 Theaceae 杨桐属 Adinandra

杨桐

Adinandra millettii (Hook. et Arn.) Benth. et Hook. f. ex Hance

| 药 材 名 | 杨桐（药用部位：根、嫩叶。别名：黄瑞木、毛药红淡）。

| 形态特征 | 灌木或小乔木。叶长圆状椭圆形，长 4.5 ~ 9 cm，宽 2 ~ 3 cm。花萼片 5，卵状披针形或卵状三角形；花瓣 5，白色，卵状长圆形至长圆形；雄蕊约 25；子房圆球形，被短柔毛，3 室。果实圆球形，疏被短柔毛，直径约 1 cm，成熟时黑色，宿存花柱长约 8 mm；种子多数，深褐色，有光泽，表面具网纹。花期 5 ~ 7 月，果期 8 ~ 10 月。

| 生境分布 | 生于海拔 100 ~ 1 300 m 的疏林和密林。除湛江（市区）西部外，广东各地山区均有分布。

| 资源情况 | 野生资源较丰富。药材主要来源于野生。

| **采收加工** | 夏、秋季采收，鲜用或晒干。

| **功能主治** | 苦，凉。凉血止血，解毒消肿。用于衄血，尿血，病毒性肝炎，腮腺炎，疖肿，蛇虫咬伤。

| **用法用量** | 内服煎汤，15 ~ 30 g。外用适量，鲜品捣敷。

| **凭证标本号** | 441825191002014LY。

茶梨
Anneslea fragrans Wall.

| 药 材 名 | 茶梨（药用部位：茎皮、叶。别名：海南红楣、香叶树、高山茶梨）。

| 形态特征 | 乔木。叶椭圆形或长圆状椭圆形至狭椭圆形，有时近披针状椭圆形，长 8 ~ 13 cm，宽 3 ~ 6 cm。花萼片 5，质厚，淡红色，阔卵形或近圆形；花瓣 5，基部连合；雄蕊 30 ~ 40；子房半下位。果实浆果状，圆球形或椭圆状球形，直径 2 ~ 3.5 cm。花期 1 ~ 3 月，果期 8 ~ 9 月。

| 生境分布 | 生于海拔 300 ~ 1 500 m 的山坡、山谷林中。分布于广东乳源、南雄、连州、连山、英德、新丰、从化、丰顺、增城、高要、信宜、封开。

| **资源情况** | 野生资源较少。药材主要来源于野生。

| **采收加工** | 夏、秋季采收，晒干。

| **功能主治** | 涩、微苦，凉。消食健胃，疏肝退热。用于消化不良，肠炎，肝炎。

| **用法用量** | 茎皮，内服煎汤，30 ~ 60 g。叶，内服研末，0.9 ~ 1.5 g。

| **凭证标本号** | 石国良 11567。

山茶科 Theaceae 茶属 Camellia

普洱茶 *Camellia assamica* (Mast.) Chang

| 药 材 名 | 普洱茶（药用部位：叶。别名：多萼茶、苦茶、多脉普洱茶）。

| 形态特征 | 乔木。叶薄椭圆形，长 8 ~ 14 cm，宽 3.5 ~ 7.5 cm，先端锐尖，基部楔形，边缘有细锯齿。花腋生，直径 2.5 ~ 3 cm，花梗长 6 ~ 8 mm，被柔毛；萼片 5，近圆形，长 3 ~ 4 mm，外面无毛；花瓣 6 ~ 7，倒卵形，长 1 ~ 1.8 cm；雄蕊长 8 ~ 10 mm，离生，无毛；子房 3 室，被茸毛，花柱长 8 mm。蒴果扁三角球形，直径约 2 cm，3 片裂开，果爿厚 1 ~ 1.5 mm。

| 生境分布 | 生于常绿阔叶林中。分布于广东乐昌、新丰、博罗、龙门、阳春。

广东各地茶场均有栽培。

| **资源情况** | 野生资源少。常见栽培。药材主要来源于栽培。

| **采收加工** | 全年均可采收，晒干。

| **功能主治** | 苦、甘，寒。清热生津，辟秽解毒，消食解酒。用于肠炎，痢疾，小便不利，水肿。

| **用法用量** | 内服煎汤，15 ～ 30 g。

| **凭证标本号** | 441324180731027LY。

山茶科 Theaceae 茶属 Camellia

长尾毛蕊茶

Camellia caudata Wall.

| 药 材 名 | 长尾毛蕊茶(药用部位:茎、叶、花。别名:膜叶连蕊茶、香港毛蕊茶)。

| 形态特征 | 小乔木。叶长圆形、披针形或椭圆形,长 5 ~ 9 cm,宽 1 ~ 2 cm。花萼杯状,萼片 5,近圆形;花瓣 5,长 10 ~ 14 mm;雄蕊多数;子房有茸毛,花柱长 8 ~ 13 mm,有灰色毛,先端 3 浅裂。蒴果圆球形,直径 1.2 ~ 1.5 cm,果爿薄,被毛,有宿存苞片及萼片,1 室,种子 1。花期 10 月至翌年 3 月。

| 生境分布 | 生于常绿阔叶林中。广东各地均有分布。

| 资源情况 | 野生资源较丰富。药材主要来源于野生。

| 采收加工 | 茎、叶，全年均可采收，鲜用；花，冬、春季采收，鲜用。 |

| 功能主治 | 活血止血，去腐生新。外用于外伤出血。 |

| 用法用量 | 外用适量，鲜品捣敷。 |

| 凭证标本号 | 卫兆芬 121723。 |

山茶科 Theaceae 茶属 Camellia

心叶毛蕊茶 *Camellia cordifolia* (Metc.) Nakai

| 药 材 名 | 心叶毛蕊茶（药用部位：根、花。别名：文山毛蕊茶、野山茶）。

| 形态特征 | 灌木至小乔木。叶长圆状披针形或长卵形，长 6 ~ 10 cm，宽 1.5 ~ 3 cm。花萼片 5，阔卵形至圆形；花冠白色，花瓣 5，近圆形，长 7 ~ 9 mm，背面有毛，基部与雄蕊连生约 4 mm；雄蕊长 1.5 cm，花丝管长约 12 mm；子房被长丝毛，花柱多毛，长 8 ~ 12 mm。蒴果近球形，长 1.4 cm，宽 1 cm，2 ~ 3 室，每室有种子 1 ~ 3，果片厚 2 mm。花期 10 ~ 12 月。

| 生境分布 | 生于山地林中。广东各地均有分布。

| 资源情况 | 野生资源较丰富。药材主要来源于野生。

| **采收加工** | 根，全年均可采挖，鲜用；花，秋、冬季采收，鲜用。

| **功能主治** | 收敛，凉血止血。外用于外伤出血。

| **用法用量** | 外用适量，鲜品捣敷。

| **凭证标本号** | 邓良 7990。

山茶科 Theaceae 茶属 Camellia

贵州连蕊茶 *Camellia costei* Lévl.

| 药 材 名 | 贵州连蕊茶（药用部位：根）。

| 形态特征 | 灌木或小乔木。叶卵状长圆形，长 4 ~ 7 cm，宽 1.3 ~ 2.6 cm。花萼杯状，萼片 5，卵形，长 1.5 ~ 2 mm，先端有毛；花冠白色，长 1.3 ~ 2 cm，花瓣 5，基部 3 ~ 5 mm 与雄蕊连生，最外侧 1 ~ 2 倒卵形至圆形，长 1 ~ 1.4 cm，有睫毛，内侧 3 ~ 4 倒卵形，先端圆或凹入，有睫毛；雄蕊长 10 ~ 15 mm，花丝管长 7 ~ 9 mm；子房无毛。蒴果圆球形，直径 11 ~ 15 mm。花期 1 ~ 2 月，果期 6 ~ 8 月。

| 生境分布 | 生于海拔 700 ~ 1 100 m 的常绿阔叶林中。分布于广东阳山。

| 资源情况 | 野生资源较少。药材主要来源于野生。

| **采收加工** | 全年均可采挖，晒干。 |

| **功能主治** | 苦，温。健脾消食，滋补强壮，消肿。用于痈肿疮疡，咽喉肿痛，跌打损伤，虚弱消瘦等。 |

| **用法用量** | 内服煎汤，9 ～ 15 g。 |

| **凭证标本号** | 441823200710007LY。 |

山茶科 Theaceae 茶属 Camellia

尖萼红山茶

Camellia edithae Hance

药 材 名

尖萼红山茶（药用部位：根、花。别名：东南山茶）。

形态特征

灌木或小乔木。叶卵状披针形或披针形，长7～17 cm，宽2.5～5.5 cm。花萼片9～10；花瓣5～6，红色，倒卵圆形，无毛，基部与雄蕊连生约1.5 cm，先端凹入；雄蕊长3 cm；子房被毛，花柱长2～2.5 cm。蒴果圆球形，直径1.5～2 cm，3室，每室有种子1～2；果爿薄，厚1～2 mm，表面有疏毛，3片裂开，下部有宿存萼片及苞片；种子半圆形，长1.2 cm，褐色。花期4～7月。

生境分布

生于山地林中。分布于广东梅县、大埔、平远、蕉岭、丰顺等。

资源情况

野生资源较少。药材主要来源于野生。

采收加工

根，全年均可采挖，鲜用；花，夏季采收，鲜用。

| **功能主治** | 收敛，凉血，止血。外用于外伤出血。

| **用法用量** | 外用适量，鲜品捣敷。

| **凭证标本号** | 曾怀德 21632。

山茶科 Theaceae 茶属 Camellia

柃叶连蕊茶

Camellia euryoides Lindl.

| **药 材 名** | 柃叶连蕊茶（药用部位：根、叶。别名：细叶连蕊茶、短柄细叶连蕊茶）。

| **形态特征** | 灌木至小乔木。嫩枝被长毛。叶片椭圆形至卵状椭圆形，先端略尖而有钝的尖头，边缘有小锯齿；叶柄被毛。花顶生及腋生，白色；花梗无毛；苞片半圆形至圆形；花萼杯状，萼片阔卵形；花冠白色，花瓣外侧片倒卵形，内侧片卵形；子房无毛。蒴果圆形。花期 1 ~ 3 月，果期 5 ~ 6 月。

| **生境分布** | 生于山坡林缘、灌丛、密林及疏林。分布于广东乳源、乐昌、南雄、连州、仁化、和平、兴宁、大埔、梅县、丰顺、博罗、斗门及深圳（市区）。

| **资源情况** | 野生资源较丰富。药材主要来源于野生。 |

| **采收加工** | 夏、秋季采收，鲜用。 |

| **功能主治** | 收敛，凉血，止血。外用于外伤出血。 |

| **用法用量** | 外用适量，鲜品捣敷。 |

| **凭证标本号** | 高锡朋 50922。 |

山茶科 Theaceae 茶属 Camellia

毛柄连蕊茶

Camellia fraterna Hance

| 药 材 名 |

毛柄连蕊茶（药用部位：根、叶。别名：毛花连蕊茶）。

| 形态特征 |

灌木或小乔木。叶椭圆形，长 4 ~ 8 cm，宽 1.5 ~ 3.5 cm。花萼杯状，萼片 5，卵形，有褐色长丝毛；花冠白色，花瓣 5 ~ 6；雄蕊长 1.5 ~ 2 cm，无毛，花丝管长为雄蕊的 2/3；子房无毛，花柱长 1.4 ~ 1.8 cm，先端 3 浅裂，裂片长仅 1 ~ 2 mm。蒴果圆球形，直径 1.5 cm，1 室，种子 1，果壳薄革质。花期 4 ~ 5 月。

| 生境分布 |

生于山地林中。分布于广东仁化、南雄。

| 资源情况 |

野生资源较少。药材主要来源于野生。

| 采收加工 |

全年均可采收，鲜用或晒干。

| **功能主治** | 消肿镇痛。用于疔疖疮痛，咽喉肿痛，跌打损伤。

| **用法用量** | 内服煎汤，9 ~ 15 g。外用适量，鲜品捣敷。

| **凭证标本号** | 441523190919013LY。

山茶科 Theaceae 茶属 Camellia

茶花
Camellia japonica L.

| 药 材 名 |

茶花（药用部位：根、花。别名：洋茶、山茶花、晚山茶）。

| 形态特征 |

灌木或小乔木。叶椭圆形，长 5 ～ 10 cm，宽 2.5 ～ 5 cm。花红色，萼片约 10，半圆形至圆形；花瓣 6 ～ 7；雄蕊 3 轮，长 2.5 ～ 3 cm，外轮花丝基部连生，花丝管长 1.5 cm，无毛，内轮雄蕊离生，稍短；子房无毛，花柱长 2.5 cm，先端 3 裂。蒴果圆球形，直径 2.5 ～ 3 cm，2 ～ 3 室，每室有种子 1 ～ 2，3 片裂开，果爿厚木质。花期 1 ～ 4 月。

| 生境分布 |

广东无野生分布。广东各地均有栽培。

| 资源情况 |

常见栽培。药材主要来源于栽培。

| 采收加工 |

秋、冬季采收，晒干。

功能主治	苦、微辛，寒。收敛止血，凉血。用于吐血，衄血，便血，血崩；外用于烫火伤，创伤出血。
用法用量	内服煎汤，6～9 g。外用适量，研末麻油调敷。
凭证标本号	441422190316735LY。

山茶科 Theaceae 茶属 Camellia

金花茶 *Camellia nitidissima* Chi [*Camellia chrysantha* (Hu) Tuyama]

| 药 材 名 | 金花茶（药用部位：叶、花。别名：中东金花茶）。

| 形态特征 | 灌木。叶长圆形、披针形或倒披针形，长 11 ~ 16 cm，宽 2.5 ~ 4.5 cm。花黄色，苞片 5；萼片 5，卵圆形至圆形；花瓣 8 ~ 12，近圆形，长 1.5 ~ 3 cm，宽 1.2 ~ 2 cm；雄蕊排成 4 轮；子房无毛，3 ~ 4 室。蒴果扁三角状球形，长 3.5 cm，宽 4.5 cm，3 片裂开，果片厚 4 ~ 7 mm；种子 6 ~ 8，长约 2 cm。花期 11 ~ 12 月。

| 生境分布 | 广东无野生分布。广东各地山区均有栽培。

| 资源情况 | 有少量栽培。药材主要来源于栽培。

| **采收加工** | 叶，全年均可采收，晒干；花，冬、春季采收，晒干。 |

| **功能主治** | 微苦、涩，平。清热解毒，利尿消肿。用于咽喉炎，痢疾，肾炎性水肿，尿路感染，黄疸性肝炎，肝硬化腹水，高血压，疮疡，预防肿瘤。 |

| **用法用量** | 内服煎汤，9 ~ 15 g。 |

| **凭证标本号** | 441223190819011LY。 |

山茶科 Theaceae 茶属 Camellia

油茶
Camellia oleifera Abel

| **药 材 名** | 油茶（药材来源：根、种子榨去脂肪油后的渣滓。别名：野油茶、山油茶、单籽油茶）。

| **形态特征** | 乔木。叶椭圆形、长圆形或倒卵形，长 5 ~ 7 cm，宽 2 ~ 4 cm。花萼片阔卵形；花瓣 5 ~ 7，白色，倒卵形；雄蕊长 1 ~ 1.5 cm；子房被黄色长毛。蒴果球形或卵圆形，直径 2 ~ 4 cm，1 或 3 室，2 或 3 片裂开。花期冬、春季，果期冬季。

| **生境分布** | 生于山地林中。广东各地均有分布。

| **资源情况** | 野生资源较丰富。药材主要来源于野生。

| **采收加工** | 秋、冬季采收，晒干。

| **功能主治** | 苦，平；有小毒。清热解毒，活血散瘀，止痛。根，用于急性咽喉炎，胃痛，扭挫伤。种子榨去脂肪油后的渣滓，外用于皮肤瘙痒。

| **用法用量** | 内服煎汤，9～15 g。

| **凭证标本号** | 441825190713015LY。

柳叶毛蕊茶

Camellia salicifolia Champ. ex Benth.

| 药 材 名 | 柳叶毛蕊茶（药用部位：根、花。别名：柳叶山茶）。

| 形态特征 | 灌木至小乔木。叶披针形，长 6 ～ 10 cm，宽 1.4 ～ 2.5 cm。花萼片 5，不等长，线状披针形，长 7 ～ 15 mm；花冠白色，花瓣 5 ～ 6；雄蕊长 10 ～ 15 mm，花丝管长为雄蕊的 2/3，分离花丝有长毛；子房有长丝毛，花柱有毛，先端 3 浅裂。蒴果圆球形或卵圆形，长 1.5 ～ 2.2 cm，宽 1.5 cm，1 室，种子 1，果片薄。花期 8 ～ 11 月。

| 生境分布 | 生于山地常绿阔叶林。分布于广东乐昌、始兴、连山、仁化、阳山、英德、翁源、连平、从化、博罗、和平、五华、平远、蕉岭、大埔、梅县、惠东、惠阳、高要、怀集、封开、罗定及深圳（市区）。

| **资源情况** | 野生资源较丰富。药材主要来源于野生。

| **采收加工** | 秋、冬季采收，鲜用。

| **功能主治** | 收敛，凉血，止血。外用于外伤出血。

| **用法用量** | 外用适量，鲜品捣敷。

| **凭证标本号** | 石国良 15385。

山茶科 Theaceae 茶属 Camellia

南山茶 *Camellia semiserrata* Chi

| **药 材 名** | 南山茶（药用部位：叶。别名：广宁油茶、广宁红花油茶）。 |

| **形态特征** | 小乔木。叶椭圆形或长圆形，长 9 ~ 15 cm，宽 3 ~ 6 cm。花红色，萼片半圆形至圆形；花瓣 6 ~ 7，红色，阔倒卵状圆形；雄蕊排成 5 轮，长 2.5 ~ 3 cm，外轮花丝下部 2/3 连生，游离花丝无毛，内轮雄蕊离生；子房被毛，花柱长 4 cm，先端 3 ~ 5 浅裂，无毛或近基部有微毛。蒴果卵球形，直径 4 ~ 8 cm，3 ~ 5 室，每室有种子 1 ~ 3，果皮厚木质。 |

| **生境分布** | 生于土壤湿润、含腐殖质丰富的山地。分布于广东乳源、博罗、和平、高要、恩平、广宁、阳春、罗定、德庆、封开、高州及清远（市区）、广州（市区）。 |

| **资源情况** | 野生资源较少。药材主要来源于野生。 |

| **采收加工** | 全年均可采收，鲜用。 |

| **功能主治** | 微苦、涩，平。收敛，止血。外用于外伤出血。 |

| **用法用量** | 外用适量，鲜品捣敷。 |

| **凭证标本号** | 陈焕镛 8424。 |

茶

Camellia sinensis (L.) O. Kuntze

| 药 材 名 | 茶（药用部位：根、叶。别名：茶树、茗、大树茶）。

| 形态特征 | 灌木或小乔木。叶长圆形或椭圆形，长 4 ~ 12 cm，宽 2 ~ 5 cm。花 1 ~ 3 腋生，白色，花梗长 4 ~ 6 mm，有时稍长；苞片 2，早落；萼片 5，阔卵形至圆形，长 3 ~ 4 mm，无毛，宿存；花瓣 5 ~ 6，阔卵形，长 1 ~ 1.6 cm，基部略连合，背面无毛，有时有短柔毛；雄蕊长 8 ~ 13 mm，基部连生 1 ~ 2 mm；子房密生白毛，花柱无毛，先端 3 裂，裂片长 2 ~ 4 mm。蒴果球形，种子 1 ~ 3。花期 10 月至翌年 2 月。

| 生境分布 | 生于山地、山谷林中或灌丛中。分布于广东乐昌、乳源、始兴、新

丰、博罗、龙门、和平、连平、从化、平县、蕉岭、潮安、饶平、封开、阳春。
广东各地均有栽培。

| **资源情况** | 野生资源较少。有大量栽培。药材主要来源于栽培。

| **采收加工** | 全年均可采收，晒干。

| **功能主治** | 根，苦，平。强心利尿，抗菌消炎，收敛止泻。用于肝炎，心脏病水肿。叶，苦、甘，微寒。清热解毒，利尿。用于肠炎，痢疾，小便不利，水肿，嗜睡症；外用于烫火伤。

| **用法用量** | 内服煎汤，9 ～ 15 g。外用适量，研末麻油调敷。

| **凭证标本号** | 441523190404018LY。

红淡比
Cleyera japonica Thunb.

| 药 材 名 | 红淡比（药用部位：叶。别名：森氏红淡比）。

| 形态特征 | 灌木或小乔木。叶长圆形或长圆状椭圆形至椭圆形，长 6 ~ 9 cm，宽 2.5 ~ 3.5 cm。花萼片 5，卵圆形或圆形；花瓣 5，白色，倒卵状长圆形；雄蕊 25 ~ 30，长 4 ~ 6 mm；子房圆球形，2 室，胚珠每室 10 余。果实圆球形，成熟时紫黑色，直径 8 ~ 10 mm；种子每室数个至 10 余，扁圆形，深褐色，有光泽，直径约 2 mm。花期 5 ~ 6月，果期 10 ~ 11 月。

| 生境分布 | 生于海拔 200 ~ 1 200 m 的山地、山谷林中或灌丛。广东各地均有分布。

| **资源情况** | 野生资源较丰富。药材主要来源于野生。

| **采收加工** | 全年均可采收，鲜用。

| **功能主治** | 微苦、涩，平。收敛，止血，消肿。外用于外伤出血。

| **用法用量** | 外用适量，鲜品捣敷。

| **凭证标本号** | 李学根 201415。

山茶科 Theaceae 柃属 *Eurya*

翅柃

Eurya alata Kobuski

| 药 材 名 | 翅柃（药用部位：根皮）。

| 形态特征 | 灌木。嫩枝具显著4棱。叶长圆形或椭圆形，长4～7.5 cm，宽1.5～2.5 cm。雄花萼片5，花瓣5，白色，雄蕊约15；雌花的小苞片和萼片与雄花同，花瓣5，长圆形，子房圆球形，3室。果实圆球形，直径约4 mm，成熟时蓝黑色。花期10～11月，果期翌年6～8月。

| 生境分布 | 生于海拔300～1600 m的山谷或林下阴湿处。分布于广东连山、连州、阳山、乐昌、乳源。

| 资源情况 | 野生资源较少。药材主要来源于野生。

| **采收加工** | 夏、秋季采收，鲜用。

| **功能主治** | 咸，平。理气活血，散瘀消肿。用于跌打损伤，肿痛。

| **用法用量** | 外用适量，鲜品捣敷。

| **凭证标本号** | 440232160119003LY。

山茶科 Theaceae 柃属 *Eurya*

耳叶柃

Eurya auriformis H. T. Chang

| 药 材 名 | 耳叶柃（药用部位：叶）。

| 形态特征 | 灌木。叶卵状披针形，长 1.5 ~ 2.5 cm，宽 0.6 ~ 1 cm。雄花萼片 5，卵形；花瓣 5，白色，倒卵形，长 3 ~ 3.5 mm，无毛；雄蕊 10 ~ 11；雌花萼片与雄花同，但较小；花瓣 5，长圆形，长 2 ~ 3 mm，子房圆球形。果实圆球形，有时为卵圆形，成熟时紫黑色，直径约 3 mm。花期 10 ~ 11 月，果期翌年 5 ~ 6 月。

| 生境分布 | 生于海拔 30 ~ 800 m 的荒山、草坡、村旁、河边灌丛。广东各地均有分布。

| 资源情况 | 野生资源较丰富。药材主要来源于野生。

| **采收加工** | 全年均可采收，晒干。

| **功能主治** | 消炎，生肌。外用于外伤出血。

| **用法用量** | 外用适量，研末敷。

| **凭证标本号** | 叶华谷 3408。

山茶科 Theaceae 柃属 *Eurya*

米碎花 *Eurya chinensis* R. Br.

| 药 材 名 | 米碎花（药用部位：全株。别名：岗茶、华柃）。

| 形态特征 | 灌木。叶倒卵形或倒卵状椭圆形，长 2 ~ 5.5 cm，宽 1 ~ 2 cm。雄花萼片 5，卵圆形或卵形，花瓣 5，白色，卵圆形或卵形，长 1.2 ~ 2 mm，无毛，雄蕊约 15；雌花萼片与雄花同，但较小，花瓣 5，卵形，长 2 ~ 2.5 mm，子房卵圆形。果实圆球形，有时为卵圆形，成熟时紫黑色，直径 3 ~ 4 mm；种子肾形，稍扁，黑褐色，有光泽，表面具细蜂窝状网纹。花期 11 ~ 12 月，果期翌年 6 ~ 7 月。

| 生境分布 | 生于海拔 30 ~ 800 m 的荒山、草坡、村旁、河边灌丛。广东各地均有分布。

| **资源情况** | 野生资源较丰富。药材主要来源于野生。 |

| **采收加工** | 全年均可采收，晒干。 |

| **功能主治** | 甘、淡、微涩，凉。清热解毒，除湿敛疮。用于预防流行性感冒；外用于烫火伤，脓疱疮。 |

| **用法用量** | 内服煎汤，9 ～ 15 g。外用适量，研末敷。 |

| **凭证标本号** | 441823190315003LY。 |

山茶科 Theaceae 柃属 Eurya

华南毛柃

Eurya ciliata Merr.

| 药 材 名 | 华南毛柃（药用部位：叶）。

| 形态特征 | 灌木或小乔木。叶披针形或长圆状披针形，长 5 ~ 8 cm，宽 1.2 ~ 2.4 cm，背面被贴伏柔毛。雄花萼片 5，阔卵圆形，花瓣 5，长圆形，雄蕊 22 ~ 28；雌花小苞片、萼片、花瓣与雄花同，但略小，子房圆球形，密被柔毛。果实圆球形，具短柄，直径 5 ~ 6 mm，密被柔毛，萼及花柱均宿存；种子多数，圆肾形，褐色，有光泽，表面密被网纹。花期 10 ~ 11 月，果期翌年 4 ~ 5 月。

| 生境分布 | 生于海拔 100 ~ 1 200 m 的山坡山谷密林。分布于广东连山、连南、连州、阳山、英德、龙门、怀集、郁南、罗定、阳春、信宜。

资源情况	野生资源较丰富。药材主要来源于野生。
采收加工	全年均可采收，鲜用。
功能主治	微苦，凉。清热解毒，消肿止痛。用于跌打损伤。
用法用量	外用适量，鲜品捣敷。
凭证标本号	441825191001022LY。

山茶科 Theaceae 柃属 *Eurya*

二列叶柃

Eurya distichophylla Hemsl.

| **药 材 名** | 二列叶柃（药用部位：根）。

| **形态特征** | 灌木或小乔木。叶卵状披针形或卵状长圆形，长 3.5 ~ 6 cm，宽 1.1 ~ 1.8 cm。雄花萼片 5，卵形，花瓣 5，白色，雄蕊 15 ~ 18；雌花萼片 5，卵形花瓣 5，披针形，子房卵形，密被柔毛，3 室。果实圆球形或卵球形，直径 4 ~ 5 mm，被柔毛，成熟时紫黑色；种子多数，褐色，有光泽，表面具密网纹。花期 10 ~ 12 月，果期翌年 6 ~ 7 月。

| **生境分布** | 生于海拔 200 ~ 1 300 m 的山谷疏林、密林和灌丛。广东各地均有分布。

| **资源情况** | 野生资源较丰富。药材主要来源于野生。

| **采收加工** | 夏、秋季采挖，晒干。

| **功能主治** | 甘、微涩，凉。清热解毒，消炎止痛。用于急性扁桃体炎，咽炎，口腔炎，支气管炎，烫火伤。

| **用法用量** | 内服煎汤，9 ~ 15 g。外用适量，鲜品捣敷。

| **凭证标本号** | 441825190412007LY。

山茶科 Theaceae 柃属 Eurya

岗柃
Eurya groffii Merr.

药 材 名	岗柃（药用部位：叶。别名：米碎木、蚂蚁木）。
形态特征	灌木或小乔木。叶披针形或披针状长圆形，长 4.5 ~ 10 cm，宽 1.5 ~ 2.2 cm。雄花萼片 5，卵形，花瓣 5，白色，长圆形或倒卵状长圆形，雄蕊约 20；雌花的小苞片和萼片与雄花同，但较小，花瓣 5，长圆状披针形，子房卵圆形，3 室。果实圆球形，直径约 4 mm，成熟时黑色；种子稍扁，圆肾形，深褐色，有光泽，表面具密网纹。花期 9 ~ 11 月，果期翌年 4 ~ 6 月。
生境分布	生于海拔 300 ~ 1 500 m 的山林、灌丛。广东各地均有分布。
资源情况	野生资源较丰富。药材主要来源于野生。

| **采收加工** | 全年均可采收，鲜用或晒干。 |

| **功能主治** | 微苦，平。消肿止痛。用于肺结核，咳嗽；外用于跌打肿痛。 |

| **用法用量** | 内服煎汤，9 ~ 15 g。外用适量，鲜品酒炒捣敷。 |

| **凭证标本号** | 441523200105028LY。 |

山茶科 Theaceae 柃属 Eurya

微毛柃

Eurya hebeclados Ling

| **药 材 名** | 微毛柃（药用部位：全株）。

| **形态特征** | 灌木或小乔木。叶长圆状椭圆形、椭圆形或长圆状倒卵形，长4～9 cm，宽1.5～3.5 cm。雄花萼片5，近圆形，花瓣5，长圆状倒卵形，白色，雄蕊约15；雌花的萼片与雄花同，但较小，花瓣5，倒卵形或匙形，子房卵圆形，3室。果实圆球形，直径4～5 mm，成熟时蓝黑色；种子每室10～12，肾形，稍扁而有棱，种皮深褐色，表面具细蜂窝状网纹。花期12月至翌年1月，果期8～10月。

| **生境分布** | 生于海拔200～1300 m的山林及灌丛。分布于广东乐昌、乳源、始兴、连南、连山、连州、仁化、曲江、阳山、连平、和平、大埔、丰顺、惠东、高要、怀集、德庆、封开、阳春。

| 资源情况 | 野生资源较丰富。药材主要来源于野生。

| 采收加工 | 夏、秋季采收，切片，鲜用或晒干。

| 功能主治 | 辛，平。祛风，消肿，解毒。用于风湿性关节炎，无名肿毒，烫伤，跌打损伤，外伤出血，蛇咬伤。

| 用法用量 | 内服煎汤，10 ~ 30 g。外用适量，鲜品捣敷。

| 凭证标本号 | 440232160108002LY。

山茶科 Theaceae 柃属 Eurya

凹脉柃

Eurya impressinervis Kobuski

| 药 材 名 | 凹脉柃（药用部位：叶、果实）。

| 形态特征 | 灌木或小乔木。叶长圆形或长圆状椭圆形，长 7 ~ 11 cm，宽 2 ~ 3.4 cm。雄花萼片 5，膜质，近圆形，花瓣 5，白色，倒卵形，雄蕊 15 ~ 19；雌花的小苞片和萼片与雄花几同形，但较小，花瓣 5，长圆形，子房长卵形，3 室。果实卵形或卵圆形，直径 4 ~ 5 mm，成熟时紫黑色；种子肾圆形，稍扁，亮红褐色，有光泽，表面具密网纹。花期 11 ~ 12 月，果期翌年 8 ~ 10 月。

| 生境分布 | 生于海拔 600 ~ 1 300 m 的山谷沟边林或山坡疏密林。分布于广东乐昌、乳源、阳山、博罗、信宜。

| **资源情况** | 野生资源较少。药材主要来源于野生。 |

| **采收加工** | 夏、秋季采收，鲜用或晒干。 |

| **功能主治** | 辛，平。祛风，消肿，止血。用于风湿痹痛，疮疡肿痛，外伤出血。 |

| **用法用量** | 内服煎汤，10 ~ 30 g。外用适量，鲜品捣敷。 |

| **凭证标本号** | 黄志 38143。 |

山茶科 Theaceae 柃属 *Eurya*

柃木
Eurya japonica Thunb.

| **药材名** | 柃木（药用部位：叶、果实。别名：日本柃）。

| **形态特征** | 灌木。叶倒卵形、倒卵状椭圆形至长圆状椭圆形，长 3 ~ 7 cm，宽 1.5 ~ 3 cm。雄花萼片 5，卵圆形或近圆形，花瓣 5，白色，长圆状倒卵形，雄蕊 12 ~ 15；雌花萼片 5，卵形，长约 1.5 mm，花瓣 5，长圆形，长 2.5 ~ 3 mm，子房圆球形，无毛，3 室，花柱长约 1.5 mm，先端 3 浅裂。果实圆球形，无毛，宿存花柱长 1 ~ 1.5 mm，先端 3 浅裂。花期 2 ~ 3 月，果期 9 ~ 10 月。

| **生境分布** | 生于山坡路旁或灌丛。分布于广东龙川。

| **资源情况** | 野生资源较少。药材主要来源于野生。

| 采收加工 | 夏、秋季采收，鲜用或晒干。

| 功能主治 | 辛、苦，凉。祛风清热，利水消肿，止血生肌。用于风湿痹痛，腹水臌胀，发热口干，疮肿，外伤出血。

| 用法用量 | 内服煎汤，10 ~ 20 g。外用适量，鲜品捣敷。

| 凭证标本号 | 445122151016003LY。

山茶科 Theaceae 柃属 Eurya

细枝柃 *Eurya loquaiana* Dunn

| 药 材 名 | 细枝柃（用药部位：枝、叶。别名：阿里山尾尖叶柃、尖尾锐叶柃）。

| 形态特征 | 灌木或小乔木。叶窄椭圆形或长圆状窄椭圆形，有时为卵状披针形，长 4 ~ 9 cm，宽 1.5 ~ 2.5 cm。雄花萼片 5，卵形或卵圆形，花瓣 5，白色，倒卵形，雄蕊 10 ~ 15；雌花的萼片与雄花同，花瓣 5，白色，卵形，子房卵圆形，无毛，3 室。果实圆球形，成熟时黑色，直径 3 ~ 4 mm；种子肾形，稍扁，暗褐色，有光泽，表面具细蜂窝状网纹。花期 10 ~ 12 月，果期翌年 7 ~ 9 月。

| 生境分布 | 生于海拔 400 ~ 1 300 m 的山林中阴湿处或灌丛。广东各地均有分布。

| 资源情况 | 野生资源较丰富。药材主要来源于野生。

| 采收加工 | 全年均可采收，鲜用或晒干。

| 功能主治 | 微辛、微苦，平。祛风通络，活血止痛。用于跌打肿痛。

| 用法用量 | 内服煎汤，6 ~ 15 g。外用适量，鲜品捣敷。

| 凭证标本号 | 441523191018038LY。

山茶科 Theaceae 柃属 *Eurya*

细齿叶柃

Eurya nitida Korthals

| **药 材 名** | 细齿叶柃（药用部位：茎、叶、花）。

| **形态特征** | 灌木或小乔木。叶椭圆形、长圆状椭圆形或倒卵状长圆形，长 4 ~ 6 cm，宽 1.5 ~ 2.5 cm。雄花萼片 5，花瓣 5，白色，倒卵形，雄蕊 14 ~ 17；雌花萼片与雄花同，花瓣 5，长圆形，子房卵圆形，无毛，花柱细长，长约 3 mm，先端 3 浅裂。果实圆球形，直径 3 ~ 4 mm，成熟时蓝黑色；种子肾形或圆肾形，亮褐色，表面具细蜂窝状网纹。花期 11 月至翌年 1 月，果期翌年 7 ~ 9 月。

| **生境分布** | 生于海拔 1 300 m 以下的山谷或灌丛。广东各地山区均有分布。

资源情况	野生资源较丰富。药材主要来源于野生。
采收加工	夏、秋季采收，鲜用或晒干。
功能主治	苦、涩，平。杀虫，解毒。用于疮口溃烂，泄泻，上唇疮烂。
用法用量	内服煎汤，6～15 g。外用适量，煎汤熏洗；或研末调敷；或鲜品捣敷。
凭证标本号	441523190920014LY。

山茶科 Theaceae 柃属 *Eurya*

长毛柃
Eurya patentipila Chun

| **药 材 名** | 长毛柃（药用部位：叶。别名：黄背叶柃）。

| **形态特征** | 灌木。叶长圆状披针形或卵状披针形，长 5 ～ 9 cm，宽 2 ～ 2.5 cm，边缘有细锯齿，背面被贴伏柔毛，中脉上更密。雄花萼片 5，革质，卵形，花瓣 5，长圆形，长约 5 mm，雄蕊 15 ～ 19；雌花萼片和花瓣与雄花同，子房卵球形，密被柔毛，花柱长 3 ～ 4 mm，先端 3 裂，偶有 4 裂。果实圆球形，直径约 6 mm，密被长柔毛，成熟时紫黑色；种子具网纹。花期 10 ～ 12 月，果期翌年 6 ～ 7 月。

| **生境分布** | 生于海拔 500 ～ 1 100 m 的山谷或山顶疏密林中。分布于广东连山、连州、连南、阳山、新丰、广宁、怀集、阳春、信宜。

| **资源情况** | 野生资源较少。药材主要来源于野生。 |

| **采收加工** | 全年均可采收，鲜用。 |

| **功能主治** | 微辛、微苦，平。祛风通络，活血止痛。外用于跌打肿痛。 |

| **用法用量** | 外用适量，鲜品捣敷。 |

| **凭证标本号** | 440785180930001LY。 |

山茶科 Theaceae 柃属 *Eurya*

红褐柃 *Eurya rubiginosa* H. T. Chang

| **药 材 名** | 红褐柃（药用部位：叶）。

| **形态特征** | 灌木。叶卵状披针形，有时为长圆状披针形，长 8 ~ 12 cm，宽 2.5 ~ 4 cm。雄花萼片 5，近圆形，花瓣 5，倒卵形；雌花的小苞片和萼片与雄花同，但稍小，花瓣 5，长圆状披针形，长约 3 mm，子房卵圆形，3 室，无毛，花柱长 1 ~ 1.5 mm，先端 3 裂。果实圆球形或近卵圆形，长约 4 mm，成熟时紫黑色。花期 10 ~ 11 月，果期翌年 4 ~ 5 月。

| **生境分布** | 生于海拔 600 ~ 800 m 的山坡疏林或山谷路旁。分布于广东连山、从化、新丰、龙门、增城。

| **资源情况** | 野生资源较少。药材主要来源于野生。 |

| **采收加工** | 全年均可采收，鲜用。 |

| **功能主治** | 苦、涩，平。祛风除湿，消肿止血。外用于风湿痹痛，跌打损伤。 |

| **用法用量** | 外用适量，鲜品捣敷。 |

| **凭证标本号** | 黄志 44517。 |

山茶科 Theaceae 柃属 Eurya

窄基红褐柃

Eurya rubiginosa H. T. Chang var. *attenuata* H. T. Chang

| 药 材 名 | 窄基红褐柃（药用部位：叶、果实）。

| 形态特征 | 灌木。叶卵状披针形，有时为长圆状披针形，长 5 ~ 8 cm，宽 2.2 ~ 3 cm。雄花萼片 5，近圆形，质厚，近革质，花瓣 5，倒卵形，雄蕊约 15；雌花的小苞片和萼片与雄花同，但稍小，花瓣 5，长圆状披针形，长约 3 mm，子房卵圆形，3 室，无毛，花柱有时几分离。果实圆球形或近卵圆形，长约 4 mm，成熟时紫黑色。花期 10 ~ 11 月，果期翌年 5 ~ 8 月。

| 生境分布 | 生于海拔 400 ~ 800 m 的山地林中或沟谷灌丛。分布于广东乳源、乐昌、连南、英德、蕉岭、平远、龙门、博罗、高要、广宁、怀集、信宜。

| 资源情况 | 野生资源较丰富。药材主要来源于野生。

| 采收加工 | 夏、秋季采收，晒干。

| 功能主治 | 苦、涩，平。祛风除湿，消肿止血。用于风湿性关节炎，外伤出血。

| 用法用量 | 内服煎汤，6 ～ 15 g。

| 凭证标本号 | 441324180803004LY。

山茶科 Theaceae 大头茶属 Gordonia

大头茶
Gordonia axillaris (Roxb.) Dietrich

| 药 材 名 | 大头茶（药用部位：茎皮、果实。别名：羊咪树）。

| 形态特征 | 乔木。叶厚革质，倒披针形，长 6 ~ 14 cm，宽 2.5 ~ 4 cm，先端圆形或钝，基部狭窄而下延，全缘。花白色，花梗极短；苞片 4 ~ 5，早落；萼片卵圆形，长 1 ~ 1.5 cm，背面有柔毛，宿存；花瓣 5，最外 1 较短，外面有毛，其余 4 阔倒卵形或心形，先端凹入，长 3.5 ~ 5 cm；雄蕊长 1.5 ~ 2 cm，基部连生，无毛。蒴果长 2.5 ~ 3.5 cm，5 片裂开；种子长 1.5 ~ 2 cm。花期 10 月至翌年 1 月。

| 生境分布 | 生于山地次生林中或灌丛中。分布于广东五华、惠东、惠阳、紫金、斗门、恩平、新会、台山、阳春、阳西、电白及广州（市区）、深圳（市区）。

| **资源情况** | 野生资源较丰富。药材主要来源于野生。 |

| **采收加工** | 秋、冬季采收，晒干。 |

| **功能主治** | 涩、辣，温。活络止痛，温中止泻。用于风湿腰痛，跌打损伤，腹泻。 |

| **用法用量** | 内服煎汤，5～9 g。 |

| **凭证标本号** | 441825210313062LY。 |

山茶科 Theaceae 木荷属 Schima

银木荷
Schima argentea Pritz. ex Diels

| 药 材 名 | 银木荷（药用部位：根皮。别名：银荷木）。

| 形态特征 | 乔木。叶厚革质，长圆形或长圆状披针形，长 8 ~ 12 cm，宽 2 ~ 3.5 cm，先端锐尖，背面有银白色蜡被，被柔毛或毛秃净。花数朵生于枝顶，白色，直径 3 ~ 4 cm，花梗长 1.5 ~ 2.5 cm，被毛；苞片 2，卵形，长 5 ~ 7 mm，被毛；萼片圆形，长 2 ~ 3 mm，外面被绢毛；花瓣长 1.5 ~ 2 cm，最外 1 较短，被绢毛；雄蕊多数，长约 1 cm；子房被毛。蒴果直径 1.2 ~ 1.5 cm。花期 7 ~ 8 月。

| 生境分布 | 生于山地林中。分布于广东乐昌、乳源、连南、仁化、阳山、新丰、阳春、封开及广州（市区）。

| **资源情况** | 野生资源较丰富。药材主要来源于野生。

| **采收加工** | 全年均可采收，鲜用。

| **功能主治** | 苦，平；有毒。清热止痢，驱虫。用于痢疾，蛔虫病，绦虫病。

| **用法用量** | 内服煎汤，3 ~ 9 g。

| **凭证标本号** | 440281190627047LY。

山茶科 Theaceae 木荷属 Schima

木荷

Schima superba Gardn. et Champ.

| 药 材 名 |

木荷（药用部位：根皮。别名：荷树、荷木、信宜木荷）。

| 形态特征 |

大乔木。叶椭圆形，长 7 ～ 12 cm，宽 4 ～ 6.5 cm，先端锐尖，有时略钝，基部楔形，边缘有钝齿；叶柄长 1 ～ 2 cm。花生于枝顶叶腋，常多朵排成总状花序，直径 3 cm，白色，花梗长 1 ～ 2.5 cm，纤细，无毛；苞片 2，贴近萼片，长 4 ～ 6 mm，早落；萼片半圆形，长 2 ～ 3 mm，外面无毛，内面被绢毛；花瓣长 1 ～ 1.5 cm，最外 1 风帽状，边缘多少被毛；子房被毛。蒴果直径 1.5 ～ 2 cm。花期 6 ～ 8 月。

| 生境分布 |

生于山地次生林中。广东各地均有分布。

| 资源情况 |

野生资源较丰富。药材主要来源于野生。

| 采收加工 |

全年均可采收，鲜用。

| **功能主治** | 辛，温；有毒。解毒，消肿。外用于疔疮，无名肿毒。

| **用法用量** | 外用适量，鲜品捣敷。

| **凭证标本号** | 441825190412050LY。

山茶科 Theaceae 木荷属 Schima

西南荷
Schima wallichii (DC.) Korthals

| 药 材 名 | 西南荷（药用部位：根皮。别名：峨眉木荷）。

| 形态特征 | 乔木。叶椭圆形，长 10 ~ 17 cm，宽 5 ~ 7.5 cm，先端尖锐，基部阔楔形，全缘；叶柄长 1 ~ 2 cm，有柔毛。花数朵生于枝顶叶腋，直径 3 ~ 4 cm，花梗长 1 ~ 2.5 cm，有柔毛；苞片 2，位于萼片下，早落；萼片半圆形，长 3 mm，宽 5 mm，背面有柔毛，内面有长绢毛；花瓣长 2 cm，外面基部有毛；子房有毛。蒴果直径 1.5 ~ 2 cm，果柄有皮孔。花期 7 ~ 8 月。

| 生境分布 | 广东无野生分布。广东大部分山区有栽培。

| 资源情况 | 各地有栽培。药材主要来源于栽培。

| 采收加工 | 夏、秋季采收,晒干。

| 功能主治 | 涩,平;有小毒。涩肠止泻,驱虫,截疟。用于泄泻,痢疾,蛔虫病,疟疾,子宫脱垂,鼻衄。

| 用法用量 | 内服煎汤,3 ~ 10 g。

| 凭证标本号 | 叶华谷、刘念 2574。

厚皮香

Ternstroemia gymnanthera (Wight et Arn.) Bedd

| 药 材 名 | 厚皮香（药用部位：果实、叶。别名：秤杆红、红果树、白花果）。

| 形态特征 | 灌木或小乔木。叶椭圆形、椭圆状倒卵形至长圆状倒卵形，长 5.5 ～ 9 cm，宽 2 ～ 3.5 cm。花萼片 5，卵圆形或长卵圆形；花瓣 5，淡黄白色，倒卵形；雄蕊约 50；子房圆卵形。果实圆球形，长 8 ～ 10 mm，直径 7 ～ 10 mm，小苞片和萼片均宿存，果柄长 1 ～ 1.2 cm，宿存花柱长约 1.5 mm，先端 2 浅裂；种子肾形，每室 1，成熟时肉质假种皮红色。花期 5 ～ 7 月，果期 8 ～ 10 月。

| 生境分布 | 生于海拔 200 ～ 1 400 m 的山地林中。广东各地均有分布。

| 资源情况 | 野生资源较丰富。药材主要来源于野生。

| 采收加工 | 夏、秋季采收，鲜用。

| 功能主治 | 苦，凉；有小毒。清热解毒，消痈肿。外用于疮疡痈肿，乳腺炎。

| 用法用量 | 外用适量，鲜品捣敷。

| 凭证标本号 | 441523190920009LY。

厚叶厚皮香 *Ternstroemia kwangtungensis* Merr.

| 药 材 名 | 厚叶厚皮香（药用部位：根。别名：广东厚皮香、华南厚皮香）。

| 形态特征 | 乔木。叶椭圆状卵圆形、阔椭圆形、倒卵形、倒卵圆形至近圆形。雄花萼片5，卵圆形或近圆形，花瓣5，白色，倒卵形或长圆状倒卵形；雄蕊多数，长约6 mm，花药卵圆形，长约3 mm，退化子房微小。果实扁球形，长1.5 ～ 1.8 cm，直径1.6 ～ 2 cm，通常3 ～ 4室，少有5室，宿存萼片近圆形，长、宽均为6 ～ 7 mm；果柄粗壮，长1.5 ～ 2 cm，直径约3 mm。花期5 ～ 6月，果期10 ～ 11月。

| 生境分布 | 生于海拔750 ～ 1 200 m的山地林中或灌丛中。分布于广东乳源、英德、阳山、海丰、大埔、蕉岭、博罗、高要、阳春、广宁、信宜。

| **资源情况** | 野生资源较丰富。药材主要来源于野生。 |

| **采收加工** | 夏、秋季采挖，切片，晒干。 |

| **功能主治** | 苦，寒。清热解毒。用于牙痛，痈疔。 |

| **用法用量** | 内服煎汤，10 ~ 15 g。 |

| **凭证标本号** | 440781190713011LY。 |

山茶科 Theaceae 厚皮香属 Ternstroemia

尖萼厚皮香

Ternstroemia luteoflora L. K. Ling

| **药 材 名** | 尖萼厚皮香（药用部位：叶、根）。

| **形态特征** | 乔木。叶椭圆形或椭圆状倒披针形，长 7 ～ 10 cm，宽 2.5 ～ 3.5 cm。花萼片 5，长卵形或卵状披针形；花瓣 5，白色或淡黄白色；雄蕊 35 ～ 45；子房圆球形，2 室，胚珠每室 2。果实圆球形，成熟时紫红色，长 1.5 ～ 2 cm，直径 1.5 ～ 2 cm，宿存花柱长 1.2 ～ 2.5 mm；果柄长 2 ～ 3（～ 4）cm，近萼片基部最粗且下弯；种子每室 1 ～ 2，成熟时红色。花期 5 ～ 6 月，果期 8 ～ 10 月。

| **生境分布** | 生于海拔 400 ～ 1 300 m 的沟谷林中或灌丛中。分布于广东乐昌、乳源、英德、阳山、海丰、大埔、蕉岭、博罗、高要、阳春、广宁、信宜。

| **资源情况** | 野生资源较丰富。药材主要来源于野生。

| **采收加工** | 夏、秋季采收，鲜用或晒干。

| **功能主治** | 涩、苦，凉。清热解毒，消肿止痛，除湿止泻。用于疮毒疔肿，跌打肿痛，泄泻。

| **用法用量** | 内服煎汤，6 ～ 15 g。外用适量，鲜品捣敷，或煎汤洗。

| **凭证标本号** | 441882180505012LY。

石笔木
Tutcheria championi Nakai [*Tutcheria spectabilis* Dunn]

| 药 材 名 | 石笔木（药用部位：叶、根。别名：榻捷花、石胆）。

| 形态特征 | 乔木。叶椭圆形，长 11 ～ 17 cm，宽 4.5 ～ 6 cm，先端渐尖，基部楔形，干后黄绿色，两面均无毛，边缘有锯齿；叶柄长 1 cm。花单生于枝顶叶腋，白色，直径 4 ～ 5 cm，花梗长 6 ～ 8 mm，有灰黄色柔毛；萼片 10，圆形，长 1 ～ 1.4 cm，背面有灰黄色绢毛，内面无毛；花瓣 5，倒卵圆形，长 2 ～ 2.5 cm，外面有绢毛；子房有毛，3 ～ 4 室。蒴果近圆形，直径 2 ～ 2.5 cm，3 ～ 4 片裂开。花期 8 ～ 9 月。

| 生境分布 | 生于海拔约 500 m 的山谷、溪边的杂木林。分布于广东乐昌、乳源、曲江、龙门、梅县、平远、蕉岭、丰顺、饶平、海丰、惠东、惠阳、

博罗、斗门、高要、新会、封开、郁南、德庆、阳春、信宜、化州及广州（市区）、深圳（市区）。

| **资源情况** | 野生资源较丰富。药材主要来源于野生。

| **采收加工** | 夏、秋季采收，晒干。

| **功能主治** | 苦，凉。消积滞。用于消化不良。

| **用法用量** | 内服煎汤，10 ~ 15 g。

硬齿猕猴桃
Actinidia callosa Lindl.

| **药 材 名** | 硬齿猕猴桃（药用部位：根皮）。

| **形态特征** | 藤本。叶卵形、阔卵形、倒卵形或椭圆形。花白色，直径约
15 mm；萼片 5，卵形，长 4 ~ 5 mm，无毛；花瓣 5，倒卵形；花
药黄色，箭头状卵形，长 1.5 ~ 2 mm；子房近球形，高约 3 mm，
被灰白色茸毛，花柱比子房稍长。浆果墨绿色，近圆柱形至倒卵状
长圆形，长 2 ~ 4 cm，直径 1 ~ 1.7 cm，有显著的淡褐色圆形斑点，
具反折的宿存萼片。花期 5 ~ 6 月，果期 7 ~ 9 月。

| **生境分布** | 生于海拔 1 000 m 以下的山地和沟谷。分布于广东乳源、阳山、平远。

| **资源情况** | 野生资源较少。药材主要来源于野生。

| **采收加工** | 夏、秋季采收，晒干。

| **功能主治** | 涩，凉。清热利湿，消肿止痛。用于湿热水肿，肠痛，痈肿疮毒。

| **用法用量** | 内服煎汤，20 ~ 30 g。

| **凭证标本号** | 441523190403012LY。

猕猴桃科 Actinidiaceae 猕猴桃属 Actinidia

京梨猕猴桃

Actinidia callosa Lindl. var. *henryi* Maxim.

| **药 材 名** | 京梨猕猴桃（药用部位：根）。

| **形态特征** | 藤本。叶卵形或卵状椭圆形至倒卵形。花白色，直径约 15 mm；萼片 5，卵形，长 4 ~ 5 mm，无毛；花瓣 5，倒卵形；花药黄色，箭头状卵形，长 1.5 ~ 2 mm；子房近球形，高约 3 mm，被灰白色茸毛，花柱比子房稍长。浆果墨绿色，近圆柱形至倒卵状长圆形，长 3 ~ 5 cm，直径 1 ~ 1.7 cm，有显著的淡褐色圆形斑点，具反折的宿存萼片。花期 5 ~ 6 月，果期 7 ~ 9 月。

| **生境分布** | 生于山谷溪涧边或湿润处。分布于广东乳源、乐昌、始兴、英德、连南、阳山、和平、龙门、怀集、信宜。

| **资源情况** | 野生资源较丰富。药材主要来源于野生。

| **采收加工** | 夏、秋季采挖，鲜用或晒干。

| **功能主治** | 涩，凉。清热解毒，消肿。用于全身肿胀，背痈红肿，肠痈绞痛。

| **用法用量** | 内服煎汤，50 ～ 100 g。外用适量，鲜品捣敷。

| **凭证标本号** | 441825190412025LY。

獼猴桃科 Actinidiaceae 獼猴桃属 Actinidia

中华猕猴桃 *Actinidia chinensis* Planch.

| **药 材 名** | 中华猕猴桃（药用部位：根、果实。别名：猕猴桃、白毛桃、毛梨子）。 |

| **形态特征** | 藤本。叶倒阔卵形至倒卵形，长 6 ~ 17 cm，宽 7 ~ 15 cm。聚伞花序；萼片 3 ~ 7，阔卵形至卵状长圆形；花瓣 5，阔倒卵形；雄蕊极多；子房球形，直径约 5 mm，密被金黄色绒毛。果实黄褐色，近球形、圆柱形、倒卵形或椭圆形，长 4 ~ 5 cm，被柔软的茸毛，具小的淡褐色斑点，宿存萼反折；种子纵径 2.5 mm。 |

| **生境分布** | 生于海拔 800 ~ 1 300 m 的山地疏林或灌丛中。分布于广东乐昌、乳源、连州、和平。 |

| 资源情况 | 野生资源较少。药材主要来源于野生。

| 采收加工 | 夏、秋季采收，晒干，果实鲜用。

| 功能主治 | 根，苦、涩，寒。清热解毒，活血消肿，祛风利湿。用于风湿性关节炎，跌打损伤，丝虫病，肝炎，痢疾，淋巴结结核，痈疖肿毒，恶性肿瘤。果实，酸、甘，寒。调中理气，生津润燥，解热除烦。用于消化不良，食欲不振，呕吐，烫火伤。

| 用法用量 | 根，内服煎汤，15 ～ 60 g。果实，内服适量，鲜食；或榨汁服。

| 凭证标本号 | 440281190626025LY。

猕猴桃科 Actinidiaceae 猕猴桃属 Actinidia

毛花猕猴桃
Actinidia eriantha Benth.

| 药 材 名 | 毛花猕猴桃（药用部位：根或根皮、叶。别名：白藤梨、毛花杨桃、毛冬瓜）。

| 形态特征 | 藤本。叶卵形至阔卵形，长 8 ～ 16 cm，宽 6 ～ 11 cm。花萼片 2 ～ 3，淡绿色，瓢状阔卵形，两面密被绒毛；花瓣先端和边缘橙黄色，中央和基部桃红色，倒卵形，长约 14 mm；雄蕊极多，花药黄色，长圆形，长约 1 mm；子房球形，密被白色绒毛，花柱长 3 ～ 4 mm。果实柱状卵球形，长 3.5 ～ 4.5 cm，直径 2.5 ～ 3 cm，密被不脱落的乳白色绒毛。花期 5 ～ 6 月，果期 11 月。

| 生境分布 | 生于海拔 100 ～ 1 400 m 的山地林缘、溪边、路旁或灌丛。广东各地均有分布。

| 资源情况 | 野生资源较丰富。药材主要来源于野生。

| 采收加工 | 夏、秋季采收，根晒干，根皮、叶鲜用。

| 功能主治 | 微辛，寒。抗肿瘤，消肿解毒。根，用于胃癌，乳癌，食管癌，腹股沟淋巴结炎，疮疖，皮炎。根皮，外用于跌打损伤。叶，外用于乳腺炎。

| 用法用量 | 根，内服煎汤，30 ~ 60 g。根皮、叶，外用适量，捣敷。

| 凭证标本号 | 440783200425037LY。

猕猴桃科 Actinidiaceae 猕猴桃属 Actinidia

条叶猕猴桃

Actinidia fortunatii Fin. et Gagn. [*Actinidia glaucophylla* F. Chun]

| **药 材 名** | 条叶猕猴桃（药用部位：根。别名：光萼猕猴桃、华南猕猴桃）。

| **形态特征** | 藤本。叶卵形、卵状披针形至披针形或长方状椭圆形，长 7 ~ 12 cm，宽 3 ~ 5 cm。花萼片 5，长 3 ~ 5 mm；花瓣 5，倒卵形，长 4 ~ 6 mm；花药黄色，长 1.5 ~ 2 mm，大致与花丝等长；子房圆柱形，长 2.5 ~ 3 mm，无毛或仅顶部略被柔毛。果实灰绿色，圆柱形或卵状圆柱形，长 15 ~ 18 mm；种子小，长约 1 mm。花期 4 ~ 5 月，果期 11 月。

| **生境分布** | 生于海拔 1 000 m 以下的山谷林缘或灌丛。分布于广东乐昌、乳源、仁化、连山、连南、阳山、博罗、高要、封开等。

| **资源情况** | 野生资源较丰富。药材主要来源于野生。

| **采收加工** | 夏、秋季采挖，鲜用。

| **功能主治** | 活血化瘀。外用于跌打损伤。

| **用法用量** | 外用适量，鲜品捣敷。

| **凭证标本号** | 441224180612040LY。

猕猴桃科 Actinidiaceae 猕猴桃属 Actinidia

小叶猕猴桃

Actinidia lanceolata Dunn

| 药 材 名 | 小叶猕猴桃（药用部位：根。别名：小藤）。

| 形态特征 | 藤本。叶卵状椭圆形至椭圆状披针形，长 4 ~ 7 cm，宽 2 ~ 3 cm。聚伞花序二回分歧；花淡绿色；萼片 3 ~ 4，卵形或长圆形；花瓣 5，条状长圆形或瓢状倒卵形；子房球形或卵形。果实小，绿色，卵形，长 8 ~ 10 mm，秃净，有显著的浅褐色斑点，宿存萼片反折；种子纵径 1.5 ~ 1.8 mm。花期 5 ~ 6 月，果期 11 月。

| 生境分布 | 生于海拔 200 ~ 800 m 的山地疏林。分布于广东乐昌、连州、仁化、阳山、大埔、梅县。

| 资源情况 | 野生资源较少。药材主要来源于野生。

| **采收加工** | 夏、秋季采挖，晒干。

| **功能主治** | 苦、酸，平。祛风除湿，行血补精。用于跌打损伤，筋骨酸痛。

| **用法用量** | 内服煎汤，20 ~ 30 g。

| **凭证标本号** | 441182180506023LY。

狝猴桃科 Actinidiaceae 狝猴桃属 Actinidia

阔叶狝猴桃

Actinidia latifolia (Gardn. et Champ.) Merr.

| **药 材 名** | 阔叶狝猴桃（药用部位：茎、叶。别名：多花狝猴桃、多果狝猴桃）。

| **形态特征** | 藤本。叶阔卵形，有时近圆形或长卵形，长 8 ~ 13 cm，宽 5 ~ 8.5 cm。花序为 3 ~ 4 歧多花的大型聚伞花序；花有香气；萼片 5，淡绿色，瓢状卵形；花瓣 5 ~ 8，前半部及边缘部分白色，下半部的中央部分橙黄色；子房圆球形，长约 2 mm，密被污黄色茸毛。果实暗绿色，圆柱形或卵状圆柱形，长 3 ~ 3.5 cm，直径 2 ~ 2.5 cm，具斑点，无毛或仅在两端有少量残存茸毛。

| **生境分布** | 生于海拔 50 ~ 1 400 m 的山地灌丛或疏林。分布于广东各地山区及深圳（市区）。

| 资源情况 | 野生资源较丰富。药材主要来源于野生。

| 采收加工 | 夏、秋季采收，茎晒干，叶鲜用。

| 功能主治 | 淡、涩，平。清热除湿，解毒，消肿止痛。用于咽喉肿痛，泄泻；外用于痈疮肿痛。

| 用法用量 | 内服煎汤，15 ~ 30 g。外用适量，鲜叶煎汤洗；或捣敷。

| 凭证标本号 | 441523190516043LY。

猕猴桃科 Actinidiaceae 猕猴桃属 *Actinidia*

两广猕猴桃 *Actinidia liangguangensis* C. F. Liang

| 药 材 名 | 两广猕猴桃（药用部位：根、茎）。

| 形态特征 | 藤本。叶卵形或长圆形，长 7 ~ 13 cm，宽 4 ~ 9 cm。聚伞花序 1 ~ 3 花，大多 1 花；花白色，直径约 1.5 cm；萼片 5，长圆形，长 4 ~ 5 mm，外面密被绒毛，内面基本无毛；花瓣 5，瓢状倒卵形，长 9 ~ 10 mm，先端圆形，基部渐狭；花丝狭条形，花药黄色。果实幼时圆柱形，密被黄褐色绒毛，成熟时卵珠状至柱状长圆形，长 2 ~ 3.5 cm；种子小，纵径 1 ~ 1.5 mm。花期 4 月下旬至 5 月，果期 11 月。

| 生境分布 | 生于海拔 250 ~ 1 000 m 的山谷灌丛。分布于广东连山、连南及清远（市区）。

| **资源情况** | 野生资源较少。药材主要来源于野生。

| **采收加工** | 夏、秋季采收，晒干。

| **功能主治** | 辛、酸，平。祛风止痛。用于风湿痹痛。

| **用法用量** | 内服煎汤，15 ~ 30 g。

| **凭证标本号** | 叶华谷 296。

美丽猕猴桃 *Actinidia melliana* Hand.-Mazz.

| 药 材 名 | 美丽猕猴桃（药用部位：根、茎、叶。别名：蒙醉）。

| 形态特征 | 藤本。当年枝和隔年枝密被长 6 ~ 8 mm 的锈色长硬毛。叶长椭圆形、长披针形或长方倒卵形，长 6 ~ 15 cm，宽 2.5 ~ 9 cm。聚伞花序腋生，花可多达 10，被锈色长硬毛；花白色；萼片 5，长方状卵形，长 4 ~ 5 mm；花瓣 5，倒卵形；子房近球形，密被茶褐色绒毛，花柱长约 3 mm。果实成熟时秃净，圆柱形，长 16 ~ 22 mm，直径 11 ~ 15 mm，有显著的疣状斑点，宿存萼片反折。花期 5 ~ 6 月。

| 生境分布 | 生于海拔 1 300 m 以下的山地林中。分布于广东乳源、始兴、连山、英德、阳山、新丰、博罗、怀集、德庆、封开、阳春、信宜。

| **资源情况** | 野生资源较丰富。药材主要来源于野生。

| **采收加工** | 夏、秋季采收，晒干。

| **功能主治** | 根，补血，强壮筋骨。用于腰痛，筋骨痛。茎、叶，祛癍痧热毒。用于癍痧热症等。

| **用法用量** | 内服煎汤，10 ~ 15 g。

| **凭证标本号** | 441825190502026LY。

猕猴桃科 Actinidiaceae 猕猴桃属 *Actinidia*

革叶猕猴桃

Actinidia rubricaulis Dunn var. *coriacea* (Fin. & Gagn.) C. F. Liang

| **药 材 名** | 革叶猕猴桃（药用部位：根。别名：秤砣梨）。

| **形态特征** | 藤本。髓淡褐色，片层状或实心。叶革质，倒披针形，长 6 ~ 9 cm，宽 3 ~ 5 cm；叶柄水红色，洁净无毛。花序有花 1 ~ 3；花红色，直径 9 ~ 18 mm；萼片 5，卵形，长 4 ~ 5 mm；花瓣 5，倒卵形，长 8 ~ 10 mm；花丝丝状，花药黄色，箭头状卵形，长 1.5 ~ 2 mm；子房近球形，高约 3 mm，被灰白色茸毛。果实乳头状至长圆柱状，长可达 5 cm，有显著褐色圆形斑点。花期 4 ~ 6 月，果期 9 ~ 11 月。

| **生境分布** | 生于山地林中。分布于广东乳源。

| **资源情况** | 野生资源较少。药材主要来源于野生。 |

| **采收加工** | 全年均可采挖，晒干。 |

| **功能主治** | 苦、涩，温。行气活血。用于跌打损伤，腰背疼痛，内伤吐血。 |

| **用法用量** | 内服浸酒，30 ~ 60 g。 |

| **凭证标本号** | 叶华谷 6234。 |

对萼猕猴桃
Actinidia valvata Dunn

| 药 材 名 | 对萼猕猴桃（药用部位：根）。

| 形态特征 | 藤本。叶阔卵形至长卵形，长5 ~ 13 cm，宽2.5 ~ 7.5 cm，先端渐尖至浑圆形，基部阔楔形至截圆形。花序1花单生或2 ~ 3花；花白色；萼片2 ~ 3，卵形至长方状卵形；花瓣7 ~ 9，长方状倒卵形；花丝丝状，花药橙黄色；子房瓶状，长约5 mm，洁净无毛，花柱比子房稍长。果实成熟时橙黄色，卵珠状，稍偏肿，长2 ~ 2.5 cm，无斑点，先端有尖喙，基部有反折的宿存萼片；种子长1.75 ~ 3.5 mm。

| 生境分布 | 生于低山山谷林中。分布于广东乳源、阳山。

| **资源情况** | 野生资源较少。药材主要来源于野生。

| **采收加工** | 夏、秋季采挖，晒干。

| **功能主治** | 苦、涩，凉。清热解毒。用于疮痈，疖肿，脓肿，带下，麻风。

| **用法用量** | 内服煎汤，20 ～ 30 g。

| **凭证标本号** | 高锡朋 53081。

水东哥科 Saurauiaceae 水东哥属 *Saurauia*

水东哥

Saurauia tristyla DC.

| 药 材 名 | 水东哥（药用部位：根、叶。别名：米花树、山枇杷）。

| 形态特征 | 灌木或小乔木。叶倒卵状椭圆形、倒卵形、长卵形，稀阔椭圆形，长 10 ~ 28 cm，宽 4 ~ 11 cm，叶缘具刺状锯齿。聚伞花序；小苞片披针形或卵形，长 1 ~ 5 mm；花粉红色或白色，小，直径 7 ~ 16 mm；萼片阔卵形或椭圆形，长 3 ~ 4 mm；花瓣卵形，长 8 mm，顶部反卷；雄蕊 25 ~ 34；子房卵形或球形，无毛，花柱 3 ~ 4，稀 5。果实球形，白色、绿色或淡黄色，直径 6 ~ 10 mm。

| 生境分布 | 生于海拔 100 ~ 960 m 的山谷溪旁林下或山坡灌丛。广东各地山区均有分布。

资源情况	野生资源较丰富。药材主要来源于野生。
采收加工	夏、秋季采收，晒干。
功能主治	微苦，凉。清热解毒，止咳，止痛。用于风热咳嗽，风火牙痛；外用于烫火伤。
用法用量	根，内服煎汤，9 ~ 15 g。叶，外用适量，研末调香油或熬成膏搽。
凭证标本号	441825190708024LY。

金莲木科 Ochnaceae 金莲木属 Ochna

金莲木
Ochna integerrima (Lour.) Merr.

| 药 材 名 | 金莲木（药用部位：根、茎。别名：油树、拟梨木）。

| 形态特征 | 灌木或小乔木。叶椭圆形、倒卵状长圆形或倒卵状披针形，长 8 ~ 19 cm，宽 3 ~ 5.5 cm。花序近伞房状；萼片长圆形，长 1 ~ 1.4 cm，先端钝；花瓣 5，有时 7，倒卵形，长 1.3 ~ 2 cm，先端钝或圆；雄蕊长 0.9 ~ 1.2 cm，3 轮排列，花丝宿存，长 5 ~ 8 mm；子房 10 ~ 12 室，花柱圆柱形，柱头盘状，5 ~ 6 裂。核果长 10 ~ 12 mm，宽 6 ~ 7 mm，先端钝，基部微弯。花期 3 ~ 4 月，果期 5 ~ 6 月。

| 生境分布 | 生于海拔 300 ~ 1 200 m 的山谷石旁和溪边较湿润的空旷处。分布于广东阳西、廉江。

| 资源情况 | 野生资源较少。药材主要来源于野生。

| 采收加工 | 夏、秋季采收，晒干。

| 功能主治 | 苦、涩，平。收敛固肾。用于泄泻，滑精，遗精等。

| 用法用量 | 内服煎汤，9 ~ 15 g。

| 凭证标本号 | 湛江区植物调查队 3167。

金莲木科 Ochnaceae 合柱金莲木属 Sinia

合柱金莲木 *Sinia rhodoleuca* Diels

药材名

合柱金莲木（药用部位：全株。别名：辛木）。

形态特征

灌木。叶狭披针形或狭椭圆形，长 7 ~ 15 cm，宽 1.5 ~ 3 cm，边缘有密而不等的腺状锯齿。圆锥花序；萼片卵形或披针形；花瓣椭圆形，白色；雄蕊长 2.5 ~ 3.5 mm，花丝短，花药箭头形，2 室；子房卵形，长约 2 mm，花柱圆柱形，柱头小，不明显。蒴果卵球形，长和宽均约 5 mm，成熟时 3 瓣裂；种子椭圆形，长约 1.7 mm，种皮暗红色，有多数小圆凹点。花期 4 ~ 5 月，果期 6 ~ 7 月。

生境分布

生于海拔 1 000 m 以下的山谷水旁密林。分布于广东连山、怀集、封开。

资源情况

野生资源较少。药材主要来源于野生。

采收加工

全年均可采收，鲜用。

| **功能主治** | 杀虫。外用于疥疮。 |

| **用法用量** | 外用适量，煎汤洗。 |

| **凭证标本号** | 441225180728003LY。 |

桃金娘科 Myrtaceae 岗松属 Baeckea

岗松
Baeckea frutescens L.

| 药 材 名 | 岗松（药用部位：全株或根、叶。别名：扫把枝、铁扫把）。

| 形态特征 | 灌木，有时为小乔木。叶小，无柄或有短柄；叶片狭线形或线形，长 5 ~ 10 mm，宽 1 mm，先端尖，上面有沟，下面凸起，有透明油腺点，干后褐色，中脉 1，无侧脉。花小，白色，单生于叶腋内；萼管钟状，长约 1.5 mm，萼齿 5，细小三角形，先端急尖；花瓣圆形，分离，长约 1.5 mm，基部狭窄成短梗；雄蕊 10 或稍少，成对与萼齿对生；子房下位。蒴果小，长约 2 mm；种子扁平，有角。花期夏、秋季。

| 生境分布 | 生于低丘及荒山上。广东各地均有分布。

| **资源情况** | 野生资源较丰富。药材主要来源于野生。

| **采收加工** | 夏、秋季采收，晒干。

| **功能主治** | 辛、苦、涩、凉。祛风除湿，解毒利尿，止痛止痒。全株，外用于湿疹，皮炎，天疱疮，足癣。根，用于感冒高热，黄疸性肝炎，胃痛，肠炎，风湿关节痛，脚气病，膀胱炎，小便不利。叶，外用于毒蛇咬伤，烫火伤。

| **用法用量** | 全株，外用适量，煎汤洗。根，内服煎汤，15 ~ 30 g。叶，外用适量，研末调茶油涂；或鲜品捣敷。

| **凭证标本号** | 441523190405016LY。

桃金娘科 Myrtaceae 红千层属 Callistemon

红千层
Callistemon rigidus R. Br.

| 药 材 名 | 红千层（药用部位：小枝、叶。别名：瓶刷木、金宝树、红瓶刷）。

| 形态特征 | 小乔木。叶线形，长 5 ~ 9 cm，宽 3 ~ 6 mm，先端尖锐，油腺点明显，干后凸起；叶柄极短。穗状花序生于枝顶；萼管略被毛；花瓣绿色，卵形，长 6 mm，宽 4.5 mm，有油腺点；雄蕊长 2.5 cm，鲜红色，花药暗紫色，椭圆形；花柱比雄蕊稍长，先端绿色，其余红色。蒴果半球形，长 5 mm，宽 7 mm，先端平截，萼管口圆，果瓣稍下陷，3 片裂开，果片脱落。花期 6 ~ 8 月。

| 生境分布 | 广东无野生分布。广东广州（市区）、深圳（市区）、珠海（市区）、中山（市区）、阳江（市区）、湛江（市区）有栽培。

| **资源情况** | 有少量栽培。药材主要来源于栽培。

| **采收加工** | 全年均可采收，晒干。

| **功能主治** | 辛，平。祛风，化痰，消肿。用于感冒，咳喘，风湿痹痛，湿疹，跌打肿痛。

| **用法用量** | 内服煎汤，10 ~ 15 g。

| **凭证标本号** | 445224210307032LY。

桃金娘科 Myrtaceae 水翁属 Cleistocalyx

水翁
Cleistocalyx operculatus (Roxb.) Merr. et Perry

| 药 材 名 | 水翁（药用部位：茎皮、叶、花蕾。别名：水榕、大蛇药）。

| 形态特征 | 乔木。叶长圆形至椭圆形，长 11 ~ 17 cm，宽 4.5 ~ 7 cm。圆锥花序生于无叶的老枝上，长 6 ~ 12 cm；花 2 ~ 3 簇生，无梗；花蕾卵形，长 5 mm，宽 3 ~ 5 mm；萼管半球形，长 3 mm，帽状体长 2 ~ 3 mm，先端有短喙；雄蕊长 5 ~ 8 mm；花柱长 3 ~ 5 mm。聚生浆果圆卵形，长 10 ~ 12 mm，宽 10 ~ 14 mm，成熟时紫黑色。花期 5 ~ 6 月。

| 生境分布 | 生于水边。分布于广东惠东、惠阳、博罗、高要、台山、新兴、阳春、德庆、信宜、雷州、高州及广州（市区）、深圳（市区）。

| 资源情况 | 野生资源较丰富。药材主要来源于野生。

| 采收加工 | 茎皮、叶，夏、秋季采收，鲜用；花蕾，夏初采收，晒干。

| 功能主治 | 苦，寒。清暑解表，祛湿消滞，消炎止痒。茎皮，外用于烧伤，麻风，皮肤瘙痒，足癣。叶，外用于急性乳腺炎。花蕾，用于感冒发热，细菌性痢疾，急性胃肠炎，消化不良。

| 用法用量 | 茎皮、叶，外用适量，鲜品捣敷；或煎汤洗。花蕾，内服煎汤，9 ~ 15 g。

| 凭证标本号 | 441823210713002LY。

桃金娘科 Myrtaceae 子楝树属 Decaspermum

子楝树

Decaspermum gracilentum (Hance) Merr. et Perry

| **药 材 名** | 子楝树（药用部位：根、叶。别名：华夏子楝树）。

| **形态特征** | 灌木至小乔木。叶椭圆形、长圆形或披针形，长 4 ~ 9 cm，宽 2 ~ 3.5 cm。聚伞花序腋生，长约 2 cm，有时为短小的圆锥状花序，总梗有紧贴的柔毛；小苞片细小，锥状；花梗长 3 ~ 8 mm，被毛；花白色，3 基数；萼管被灰色毛，萼片卵形，长 1 mm，先端圆，有睫毛；花瓣倒卵形，长 2 ~ 2.5 mm，外面有微毛；雄蕊比花瓣略短。浆果直径约 4 mm，有柔毛，有种子 3 ~ 5。花期 3 ~ 5 月。

| **生境分布** | 生于海拔 100 ~ 500 m 的疏林中。分布于广东连州、英德、博罗、台山、电白、阳春、阳西、封开、信宜、高州、廉江及云浮（市区）。

| **资源情况** | 野生资源较少。药材主要来源于野生。

| **采收加工** | 全年均可采收，晒干。

| **功能主治** | 辛、苦，平。理气化湿，解毒杀虫。用于风湿痹痛，骨节疼痛，四肢麻木，筋脉拘挛等；外用于皮肤疥癣。

| **用法用量** | 内服煎汤，10 ~ 15 g。

| **凭证标本号** | 440785190502005LY。

桃金娘科 Myrtaceae 桉属 Eucalyptus

柠檬桉

Eucalyptus citriodora Hook. f.

| 药 材 名 | 柠檬桉（药用部位：叶。别名：香桉）。

| 形态特征 | 大乔木。幼态叶披针形，稍弯曲，两面有黑色腺点，有浓厚的柠檬气味，叶柄盾状着生；成长叶狭披针形，先端渐尖，基部楔形。圆锥花序腋生，花 1 ～ 3 生于花序分枝上；花梗长 3 ～ 4 mm，具棱；花蕾倒卵形，长 6 ～ 7 mm；萼管长约 5 mm，帽状体先端圆形；雄蕊 2 列，花药椭圆形，背部着生，药室平行。蒴果壶形，长 10 ～ 12 mm，果瓣内藏。花期 4 ～ 9 月。

| 生境分布 | 广东无野生分布。广东各地均有栽培。

| **资源情况** | 有少量栽培。药材主要来源于栽培。

| **采收加工** | 夏、秋季采收，晒干。

| **功能主治** | 苦、辛，温。用于痢疾；外用于疮疖等皮肤诸病，风湿痛。

| **用法用量** | 内服煎汤，10 ~ 25 g。外用适量，煎汤洗。

| **凭证标本号** | 445222180727002LY。

桃金娘科 Myrtaceae 桉属 *Eucalyptus*

窿缘桉 *Eucalyptus exserta* F. Muell.

| 药 材 名 | 窿缘桉（药用部位：叶。别名：风吹柳）。

| 形态特征 | 乔木。叶片狭披针形，宽不及 1 cm，有短柄。伞形花序腋生，有花 3 ~ 8，总梗圆形，长 6 ~ 12 cm；花梗长 3 ~ 4 mm；花蕾长卵形，长 8 ~ 10 mm；萼管半球形，长 2.5 ~ 3 mm，宽 4 mm；帽状体长 5 ~ 7 mm，长锥形，先端渐尖；雄蕊长 6 ~ 7 mm，药室平行，纵裂。蒴果近球形，直径 6 ~ 7 mm，果缘突出萼管 2 ~ 2.5 mm，果瓣 4，长 1 ~ 1.5 mm。花期 5 ~ 9 月。

| 生境分布 | 广东无野生分布。广东各地均有栽培。

资源情况	有少量栽培。药材主要来源于栽培。
采收加工	夏、秋季采收，晒干。
功能主治	辛、苦，温。用于风湿病，皮肤病。
用法用量	外用适量，煎汤洗。
凭证标本号	440882180602670LY。

桃金娘科 Myrtaceae 桉属 Eucalyptus

大叶桉 *Eucalyptus robusta* Smith

| 药 材 名 | 大叶桉（药用部位：叶。别名：桉树、蚊仔树）。

| 形态特征 | 大乔木。叶卵形，长 11 cm，宽达 7 cm，有柄。伞形花序粗大，有花 4 ~ 8，总梗压扁，长不超过 2.5 cm；花梗短，长不超过 4 mm，有时较长，粗而扁平；花蕾长 1.4 ~ 2 cm，宽 7 ~ 10 mm；萼管半球形或倒圆锥形，长 7 ~ 9 mm，宽 6 ~ 8 mm；帽状体约与萼管同长，先端收缩成喙；雄蕊长 1 ~ 1.2 cm，花药椭圆形，纵裂。蒴果卵状壶形，长 1 ~ 1.5 cm，上半部略收缩，蒴口稍扩大，果瓣 3 ~ 4，深藏于萼管内。花期 4 ~ 9 月。

| 生境分布 | 广东无野生分布。广东各地均有栽培。

| **资源情况** | 有少量栽培。药材主要来源于栽培。

| **采收加工** | 夏、秋季采收，鲜用或晒干。

| **功能主治** | 辛、苦，平。疏风解热，抑菌消炎，防腐止痒。用于预防流行性感冒，预防流行性脑脊髓膜炎，上呼吸道感染，咽喉炎，支气管炎，肺炎，急、慢性肾盂肾炎，肠炎，痢疾，丝虫病；外用于烫火伤，蜂窝织炎，乳腺炎，疖肿，丹毒，稻田性皮炎，湿疹，足癣，皮肤消毒。

| **用法用量** | 内服煎汤，9 ~ 15 g，鲜品 15 ~ 30 g，不宜过量。外用适量，煎汤洗。

| **凭证标本号** | 440781190712023LY。

桃金娘科 Myrtaceae 桉属 Eucalyptus

细叶桉

Eucalyptus tereticornis Smith

| 药 材 名 | 细叶桉（药用部位：叶。别名：小叶桉）。

| 形态特征 | 大乔木。叶片狭披针形，长 10 ~ 25 cm，宽 1.5 ~ 2 cm，稍弯曲，两面有细腺点；叶柄长 1.5 ~ 2.5 cm。伞形花序腋生，有花 5 ~ 8，总梗圆形，粗壮，长 1 ~ 1.5 cm；花梗长 3 ~ 6 mm；花蕾长卵形，长 1 ~ 1.3 mm 或更长；萼管长 2.5 ~ 3 mm，宽 4 ~ 5 mm；帽状体长 7 ~ 10 mm，渐尖；雄蕊长 6 ~ 9 mm，花药长倒卵形，纵裂。蒴果近球形，宽 6 ~ 8 mm，果缘突出萼管 2 ~ 2.5 mm，果瓣 4。

| 生境分布 | 广东无野生分布。广东各地常见栽培。

| **资源情况** | 有少量栽培。药材主要来源于栽培。

| **采收加工** | 夏、秋季采收，鲜用或晒干。

| **功能主治** | 辛、微苦，平。宣肺发表，理气活血，解毒杀虫。用于感冒发热，咳嗽痰喘，脘腹胀痛，泻痢，钩端螺旋体病，跌打损伤，疮疡，丹毒，乳痈，疥疮，癣痒。

| **用法用量** | 内服煎汤，6 ～ 15 g。外用适量，鲜品捣敷。

| **凭证标本号** | 440882180430699LY。

桃金娘科 Myrtaceae 番樱桃属 Eugenia

丁香

Eugenia caryophyllata Thunb. [*Syzygium aromaticum* (L.) Merr. et Perry]

| 药 材 名 | 丁子香（药用部位：花蕾。别名：丁香蒲桃）。

| 形态特征 | 乔木。单叶；叶片长卵形或长倒卵形，长 5 ~ 10 cm，宽 2.5 ~ 5 cm。花芳香，组成顶生聚伞圆锥花序，花直径约 6 mm；花萼肥厚，筒状，绿色后转紫色，长管状，先端 4 裂，裂片三角形；花冠白色，稍带淡紫色，短管状，4 裂；雄蕊多数，花药纵裂；子房下位，与萼管合生，花柱粗厚，柱头不明显。浆果红棕色，长方状椭圆形，稍有光泽，长 1 ~ 1.5 cm，直径 5 ~ 8 mm，先端宿存萼片。花期 3 ~ 6 月，果期 6 ~ 9 月。

| 生境分布 | 广东无野生分布。广东湛江（市区）有栽培。

| **资源情况** | 有少量栽培。药材主要来源于栽培。

| **采收加工** | 花开前采摘，晒干。

| **药材性状** | 本品呈研棒状，长 1 ~ 2 cm。花冠圆球形，直径 3 ~ 5 mm，花瓣 4，覆瓦状抱合，棕褐色或褐黄色，花瓣内为雄蕊和花柱，搓碎后可见众多黄色细粒状的花药；萼筒圆柱状，略扁，有的稍弯曲，长 7 ~ 14 mm，直径 3 ~ 6 mm，红棕色或棕褐色，上部有 4 三角形的萼片，"十"字状分开。质坚实，富油性。气芳香浓烈，味辛、辣，有麻舌感。

| **功能主治** | 辛，温。暖胃降逆，壮阳健肾。用于脾胃虚寒，呃逆，呕吐，心腹冷痛，痢疾，疝癖，疝气。

| **用法用量** | 内服煎汤，1.5 ~ 3 g。

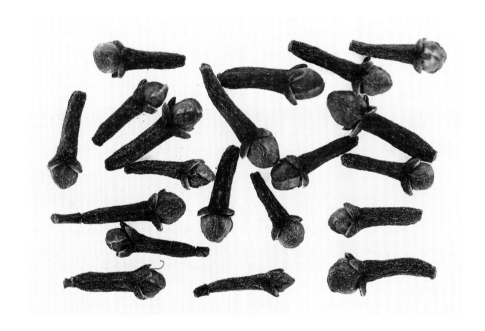

桃金娘科 Myrtaceae 番樱桃属 Eugenia

红果仔

Eugenia uniflora L.

| **药 材 名** | 红果仔（药用部位：叶。别名：番樱桃、棱果蒲桃、毕当茄）。

| **形态特征** | 灌木或小乔木。叶卵形至卵状披针形，长 3.2 ~ 4.2 cm，宽 2.3 ~ 3 cm，先端渐尖或短尖，具钝头，基部圆形或微心形，上面绿色发亮，下面色较浅，两面无毛，有无数透明腺点，侧脉每边约 5；叶柄极短，长约 1.5 mm。花白色，稍芳香，单生或数朵聚生于叶腋，短于叶；萼片 4，长椭圆形，外反。浆果球形，直径 1 ~ 2 cm，有 8 棱，成熟时深红色，有种子 1 ~ 2。花期春季。

| **生境分布** | 广东无野生分布。广东广州（市区）、深圳（市区）、珠海（市区）、中山（市区）、阳江（市区）、湛江（市区）有栽培。

资源情况	有少量栽培。药材主要来源于栽培。
采收加工	全年均可采收，晒干。
功能主治	用于高胆固醇血症，高血压，痛风，肥胖，糖尿病。
用法用量	内服煎汤，9 ~ 20 g。
凭证标本号	440523190714028LY。

桃金娘科 Myrtaceae 白千层属 Melaleuca

白千层 *Melaleuca leucadendron* L.

| **药 材 名** | 白千层（药用部位：枝叶。别名：千层皮、千层纸、玉树）。

| **形态特征** | 乔木；树皮灰白色，厚而松软，呈薄层状剥落。嫩枝灰白色。叶互生；叶片披针形或狭长圆形，长 4 ~ 10 cm，宽 1 ~ 2 cm；叶柄极短。花白色，密集于枝顶成穗状花序，长达 15 cm，花序轴常有短毛；萼管卵形，长 3 mm，有毛或无毛，萼齿 5，圆形，长约 1 mm；花瓣 5，卵形，长 2 ~ 3 mm，宽 3 mm；雄蕊长约 1 cm，常 5 ~ 8 成束；花柱线形，比雄蕊略长。蒴果近球形，直径 5 ~ 7 mm。花期每年多次。

| **生境分布** | 广东无野生分布。广东各地有零星栽培。

资源情况	有少量栽培。药材主要来源于栽培。
采收加工	夏、秋季采收,晒干。
功能主治	辛,凉。祛风解表,散瘀。用于感冒发热,风湿骨痛,肠炎腹泻。
用法用量	内服煎汤,9 ~ 20 g。
凭证标本号	440902201112034LY。

桃金娘科 Myrtaceae 白千层属 Melaleuca

细花白千层 Melaleuca parviflora Lindl.

| 药 材 名 | 细花白千层（药用部位：叶）。

| 形态特征 | 乔木，高 12 m；树皮灰色，稍坚实。嫩枝常有毛。叶小，互生，密集；叶片硬革质，披针形或长圆状披针形，先端尖锐，基部钝，无叶柄。花白色，穗状花序 3 ~ 5 cm，密生于枝顶，总梗有柔毛；小苞片线形；萼管卵形，有白色毛，萼齿卵形，极短小；花瓣近圆形，宽约 2 mm；雄蕊成束，花柱稍超出。蒴果倒卵形，基部狭窄。花期春季。

| 生境分布 | 广东无野生分布。广东广州（市区）、深圳（市区）、珠海（市区）、中山（市区）有栽培。

| 资源情况 | 有少量栽培。药材主要来源于栽培。

| 采收加工 | 全年均可采收，鲜用或晒干。

| 功能主治 | 辛，平。芳香解表，祛风止痛。用于感冒发热，风湿关节痛，神经痛，肠炎腹泻；外用于过敏性皮炎，湿疹。

| 用法用量 | 内服煎汤，15 ~ 25 g；外用适量，鲜品煎汤洗。

| 凭证标本号 | 陈焕镛 11880。

桃金娘科 Myrtaceae 番石榴属 Psidium

番石榴
Psidium guajava L.

| 药 材 名 | 番石榴（药用部位：叶、果实。别名：鸡矢果）。

| 形态特征 | 乔木；树皮平滑。叶革质，长圆形至椭圆形，长 6 ~ 12 cm，宽 3.5 ~ 6 cm。花单生或 2 ~ 3 排成聚伞花序；萼管钟形，长 5 mm，有毛，萼帽近圆形，长 7 ~ 8 mm，不规则裂开；花瓣长 1 ~ 1.4 cm，白色；雄蕊长 6 ~ 9 mm；子房下位，与萼合生，花柱与雄蕊等长。浆果球形、卵圆形或梨形，长 3 ~ 8 cm，先端有宿存萼片，果肉白色及黄色，胎座肥大，肉质，淡红色；种子多数。

| 生境分布 | 生于荒地或低丘陵上。广东各地均有分布。

| 资源情况 | 野生资源较少。有大量栽培。药材主要来源于栽培。

| 采收加工 | 夏、秋季采收，鲜用或晒干。

| 功能主治 | 甘、涩，平。收敛止泻，消炎止血。用于急、慢性胃肠炎，痢疾，小儿消化不良；外用于跌打扭伤，外伤出血，臁疮久不愈合。

| 用法用量 | 内服煎汤，25 ~ 50 g。外用适量，鲜叶捣敷。

| 凭证标本号 | 441523190921068LY。

桃金娘科 Myrtaceae 桃金娘属 Rhodomyrtus

桃金娘
Rhodomyrtus tomentosa (Ait.) Hassk.

| 药 材 名 | 桃金娘（药用部位：根、叶、果实。别名：岗棯）。

| 形态特征 | 灌木。叶椭圆形或倒卵形，长 3 ~ 8 cm，宽 1 ~ 4 cm。花有长梗，常单生，紫红色，直径 2 ~ 4 cm；萼管倒卵形，长 6 mm，有灰茸毛，萼裂片 5，近圆形，长 4 ~ 5 mm，宿存；花瓣 5，倒卵形，长 1.3 ~ 2 cm；雄蕊红色，长 7 ~ 8 mm；子房下位，3 室，花柱长 1 cm。浆果卵状壶形，长 1.5 ~ 2 cm，宽 1 ~ 1.5 cm，成熟时紫黑色；种子每室 2 列。花期 4 ~ 5 月，果期 8 ~ 10 月。

| 生境分布 | 生于丘陵坡地。广东各地均有分布。

| 资源情况 | 野生资源较丰富。药材主要来源于野生。

| 采收加工 | 根、叶，夏、秋季采收，晒干；果实，秋季采收，晒干。

| 功能主治 | 甘、涩，平。根，祛风活络，收敛止泻。用于急、慢性胃肠炎，胃痛，消化不良，肝炎，痢疾，风湿性关节炎，腰肌劳损，功能失调性子宫出血，脱肛；外用于烫火伤。叶，收敛止血。用于急性胃肠炎，消化不良，痢疾；外用于外伤出血。果实，补血，滋养，安胎。用于贫血，病后体虚，神经衰弱，耳鸣，遗精。

| 用法用量 | 内服煎汤，15 ~ 30 g。外用适量，研末敷。

| 凭证标本号 | 441523190514012LY。

桃金娘科 Myrtaceae 蒲桃属 Syzygium

华南蒲桃 *Syzygium austrosinense* (Merr. et Perry) Chang et Miau

| 药 材 名 | 华南蒲桃（药用部位：枝叶。别名：小山稔）。

| 形态特征 | 灌木至小乔木。嫩枝有 4 棱。叶椭圆形，长 4 ~ 7 cm，宽 2 ~ 3 cm；叶柄长 3 ~ 5 mm。聚伞花序顶生或近顶生，长 1.5 ~ 2.5 cm；花梗长 2 ~ 5 mm；花蕾倒卵形，长 4 mm；萼管倒圆锥形，长 2.5 ~ 3 mm，萼片 4，短三角形；花瓣分离，倒卵圆形，长 2.5 mm；雄蕊长 3 ~ 4 mm；花柱长 3 ~ 4 mm。果实球形，宽 6 ~ 7 mm。花期 6 ~ 8 月。

| 生境分布 | 生于海拔 400 ~ 700 m 的常绿林中。广东各地均有分布。

| 资源情况 | 野生资源较丰富。药材主要来源于野生。

| **采收加工** | 全年均可采收，晒干。 |

| **功能主治** | 酸、涩，平。涩肠止泻。用于久泻不止。 |

| **用法用量** | 内服煎汤，15 ～ 25 g。 |

| **凭证标本号** | 441622200921008LY。 |

桃金娘科 Myrtaceae 蒲桃属 Syzygium

黑嘴蒲桃 Syzygium bullockii (Hance) Merr. et Perry

| 药 材 名 | 水榕木根（药用部位：根、果实、叶）。

| 形态特征 | 灌木至小乔木。叶椭圆形至卵状长圆形，长 4 ～ 12 cm，宽 2.5 ～ 5.5 cm；叶柄极短，近无柄。圆锥花序顶生，长 2 ～ 4 cm，多分枝，多花，总梗长不及 1 cm；花小，花梗长 1 ～ 2 mm；萼管倒圆锥形，长约 4 mm，萼齿波状；花瓣连成帽状体；花丝分离，长 4 ～ 6 mm；花柱与雄蕊等长。果实椭圆形，长约 1 cm，宽 8 mm。花期 3 ～ 8 月。

| 生境分布 | 生于平地次生林。分布于广东徐闻等。

| 资源情况 | 野生资源较少。药材主要来源于野生。

| 采收加工 | 夏、秋季采收，晒干。

| 功能主治 | 苦，寒。祛风止痛，清热利湿，止血解毒。用于风火牙痛，胃痛，风湿痹痛，湿热泄泻，肝炎，劳伤咯血，跌打伤痛，烫火伤。

| 用法用量 | 内服煎汤，6～15 g。外用适量，研末敷；或煎汤洗。

| 凭证标本号 | 440882180804764LY。

桃金娘科 Myrtaceae 蒲桃属 Syzygium

赤楠蒲桃
Syzygium buxifolium Hook. et Arn.

| 药 材 名 | 赤楠蒲桃（药用部位：根、叶。别名：赤楠）。

| 形态特征 | 灌木或小乔木。叶阔椭圆形至椭圆形，有时阔倒卵形，长 1.5 ～ 3 cm，宽 1 ～ 2 cm；叶柄长 2 mm。聚伞花序顶生，长约 1 cm，有花数朵；花梗长 1 ～ 2 mm；花蕾长 3 mm；萼管倒圆锥形，长约 2 mm，萼齿浅波状；花瓣 4，分离，长 2 mm；雄蕊长 2.5 mm；花柱与雄蕊等长。果实球形，直径 5 ～ 7 mm。花期 6 ～ 8 月。

| 生境分布 | 生于低山疏林或灌丛。广东各地山区均有分布。

| 资源情况 | 野生资源较丰富。药材主要来源于野生。

| **采收加工** | 全年均可采收，晒干。

| **功能主治** | 甘，平。清热解毒，利尿平喘。根，用于浮肿，哮喘；外用于烫火伤。叶，用于瘰疬，疔疮，漆疮，烫火伤。

| **用法用量** | 根，内服煎汤，15～30 g。外用适量，研末调茶油涂。叶，外用适量，研末调茶油涂；或鲜品捣敷；或煎汤洗。

| **凭证标本号** | 441523190920008LY。

桃金娘科 Myrtaceae 蒲桃属 *Syzygium*

乌墨
Syzygium cumini (L.) Skeels

| 药 材 名 | 乌墨（药用部位：茎皮、叶、果实。别名：乌楣）。

| 形态特征 | 乔木。叶阔椭圆形至狭椭圆形，长 6 ～ 12 cm，宽 3.5 ～ 7 cm；叶柄长 1 ～ 2 cm。圆锥花序腋生或生于花枝上，偶有顶生，长可达 11 cm；有短花梗，花白色，3 ～ 5 簇生；萼管倒圆锥形，长 4 mm，萼齿不明显；花瓣 4，卵形略圆，长 2.5 mm；雄蕊长 3 ～ 4 mm；花柱与雄蕊等长。果实卵圆形或壶形，长 1 ～ 2 cm，上部有长 1 ～ 1.5 mm 的宿存萼筒；种子 1。花期 2 ～ 3 月，果期 6 ～ 8 月。

| 生境分布 | 生于平地次生林及荒地。分布于广东斗门、雷州、廉江、徐闻。

| 资源情况 | 野生资源较丰富。药材主要来源于野生。

| **采收加工** | 夏季采收，晒干。

| **功能主治** | 苦、涩，平。润肺定喘。用于肺结核，哮喘。

| **用法用量** | 内服炖肉，15 ～ 30 g；或研末开水送服，0.5 g。

| **凭证标本号** | 445224190725020LY。

桃金娘科 Myrtaceae 蒲桃属 Syzygium

轮叶蒲桃

Syzygium grijsii (Hance) Merr. et Perry

| 药 材 名 | 轮叶蒲桃（药用部位：根。别名：三叶赤楠）。

| 形态特征 | 灌木。嫩枝有 4 棱。叶常 3 叶轮生，狭长圆形或狭披针形，长 1.5 ~ 2 cm，宽 5 ~ 7 mm；叶柄长 1 ~ 2 mm。聚伞花序顶生，长 1 ~ 1.5 cm，少花；花梗长 3 ~ 4 mm，花白色；萼管长 2 mm，萼齿极短；花瓣 4，分离，近圆形，长约 2 mm；雄蕊长约 5 mm；花柱与雄蕊等长。果实球形，直径 4 ~ 5 mm。花期 5 ~ 6 月。

| 生境分布 | 生于灌丛。分布于广东新丰、龙川、和平、大埔、蕉岭及河源（市区）、深圳（市区）。

| 资源情况 | 野生资源较丰富。药材主要来源于野生。

| **采收加工** | 全年均可采挖，鲜用或晒干。

| **功能主治** | 辛，微温。祛风散寒，活血破瘀，止痛。用于跌打肿痛，风寒感冒，风湿头痛。

| **用法用量** | 内服煎汤，15 ～ 30 g。外用适量，鲜品捣敷。

| **凭证标本号** | 440281200712015LY。

桃金娘科 Myrtaceae 蒲桃属 Syzygium

蒲桃
Syzygium jambos (L.) Alston

| 药 材 名 | 蒲桃（药用部位：根皮、果实。别名：水蒲桃）。

| 形态特征 | 乔木。叶披针形或长圆形，长 12 ~ 25 cm，宽 3 ~ 4.5 cm；叶柄长 6 ~ 8 mm。聚伞花序顶生，有花数朵，总梗长 1 ~ 1.5 cm；花梗长 1 ~ 2 cm，花白色，直径 3 ~ 4 cm；萼管倒圆锥形，长 8 ~ 10 mm，萼齿 4，半圆形，长 6 mm，宽 8 ~ 9 mm；花瓣分离，阔卵形，长约 14 mm；雄蕊长 2 ~ 2.8 cm，花药长 1.5 mm；花柱与雄蕊等长。果实球形，果皮肉质，直径 3 ~ 5 cm，成熟时黄色，有油腺点；种子 1 ~ 2，多胚。花期 3 ~ 4 月，果期 5 ~ 7 月。

| 生境分布 | 生于河边及河谷湿地。分布于广东英德、博罗、高要、广宁、阳西、信宜、高州及清远（市区）、广州（市区）、深圳（市区）。

| **资源情况** | 野生资源较丰富。药材主要来源于野生。 |

| **采收加工** | 夏季采收，鲜用或晒干。 |

| **功能主治** | 甘、涩，平。凉血，收敛。用于痢疾，腹泻；外用于外伤出血。 |

| **用法用量** | 根皮，外用适量，研末撒敷；或鲜品捣敷。果实，内服煎汤，15 ~ 30 g。 |

| **凭证标本号** | 441523190921026LY。 |

桃金娘科 Myrtaceae 蒲桃属 Syzygium

钟花蒲桃
Syzygium myrtifolium Walp.

| 药 材 名 |

钟花蒲桃（药用部位：根）。

| 形态特征 |

乔木。叶长卵形或卵状长圆形，长 8 ～ 10.5 cm，宽 3 ～ 4.5 cm，先端渐尖或尾状渐尖，尾部长 1 ～ 1.5 cm，基部近圆形或钝；叶柄长 4 ～ 7 mm。圆锥花序顶生及近顶生，长 2 ～ 3 cm，花序轴纤细；花梗长约 2 mm；花蕾棒状，长约 7 mm；萼管长 5 ～ 6 mm，萼齿 4 ～ 5，肾圆形，长约 1 mm；花瓣分离，倒卵圆形，长 3 ～ 4 mm；雄蕊长于花瓣。果实球形，宽约 7 mm，白色。花期 4 ～ 6 月，果期 8 ～ 10 月。

| 生境分布 |

广东无野生分布。广东徐闻及广州（市区）、深圳（市区）、珠海（市区）、中山（市区）、湛江（市区）有栽培。

| 资源情况 |

有少量栽培。药材主要来源于栽培。

| 采收加工 |

夏、秋季采挖，晒干。

| **功能主治** | 苦，凉。益肾定喘，健脾利湿，祛风活血，解毒消肿。用于喘咳，浮肿，淋浊，尿路结石，痢疾，肝炎，子宫脱垂，风湿痛，疝气，睾丸炎，痔疮，痈肿，水火烫伤，跌打肿痛等。

| **用法用量** | 内服煎汤，15 ~ 30 g。外用适量，捣敷；或研末涂撒。

桃金娘科 Myrtaceae 蒲桃属 Syzygium

洋蒲桃
Syzygium samarangense (Blume) Merr. et Perry

药材名

洋蒲桃（药用部位：树皮、叶。别名：莲雾、两雾、南洋蒲桃）。

形态特征

乔木。叶椭圆形至长圆形，长 10 ~ 22 cm，宽 5 ~ 8 cm；叶柄极短。聚伞花序顶生或腋生，长 5 ~ 6 cm，有花数朵；花白色，花梗长约 5 mm；萼管倒圆锥形，长 7 ~ 8 mm，宽 6 ~ 7 mm，萼齿 4，半圆形，长 4 mm，宽加倍；雄蕊极多，长约 1.5 cm；花柱长 2.5 ~ 3 cm。果实梨形或圆锥形，肉质，洋红色，发亮，长 4 ~ 5 cm，顶部凹陷，有宿存的肉质萼片；种子 1。花期 3 ~ 4 月，果期 5 ~ 6 月。

生境分布

广东无野生分布。广东徐闻、恩平、三水及广州（市区）、深圳（市区）、珠海（市区）、中山（市区）、湛江（市区）有栽培。

资源情况

有少量栽培。药材主要来源于栽培。

| **采收加工** | 秋季采收，鲜用。

| **功能主治** | 收敛，利湿。外用于烂疮，阴痒。

| **用法用量** | 外用适量，煎汤洗。

| **凭证标本号** | 445224190331110LY。

桃金娘科 Myrtaceae 蒲桃属 Syzygium

四角蒲桃 *Syzygium tetragonum* Wall. ex Wight

| 药 材 名 | 四角蒲桃（药用部位：叶）。

| 形态特征 | 小乔木。叶卵状披针形，长 6 ~ 9 cm，宽 2 ~ 2.5 cm，先端尾状渐尖，尾长 1.5 ~ 2 cm，基部楔形，下延；叶柄长约 5 mm。花顶生，单花或 2 ~ 3 排成聚伞花序，长约 1 cm，总梗长约 5 mm；苞片针形，长约 1 mm；花梗长 2 ~ 3 mm，无毛；萼管倒圆锥形，长约 3 mm，无毛，萼齿 4，短而钝；花瓣长约 2 mm，雄蕊长 4 ~ 5 mm；花柱与雄蕊等长。花期 5 ~ 6 月，果期 8 ~ 10 月。

| 生境分布 | 生于中海拔山谷。分布于广东高要。

| **资源情况** | 野生资源较少。药材主要来源于野生。

| **采收加工** | 全年均可采收，鲜用。

| **功能主治** | 苦，寒。清热解毒。用于痈疽疔疮，漆疮，烫火伤。

| **用法用量** | 内服煎汤，6 ~ 15 g。外用适量，鲜品捣敷；或煎汤洗；或研末调涂。

| **凭证标本号** | 叶华谷 11192。

玉蕊科 Lecythidaceae 玉蕊属 Barringtonia

玉蕊

Barringtonia racemosa (L.) Spreng

| 药 材 名 | 玉蕊（药用部位：根、果实。别名：水茄苳）。

| 形态特征 | 乔木。叶倒卵形至倒卵状椭圆形或倒卵状矩圆形，长 12 ~ 30 cm，宽 4 ~ 10 cm；侧脉 10 ~ 15 对。总状花序，下垂，长达 70 cm；萼撕裂为 2 ~ 4，椭圆形至近圆形；花瓣 4，椭圆形至卵状披针形；雄蕊通常 6 轮；子房常 3 ~ 4 室，隔膜完全，胚珠每室 2 ~ 3。果实卵圆形，长 5 ~ 7 cm，直径 2 ~ 4.5 cm，微具 4 钝棱。花期几全年。

| 生境分布 | 广东无野生分布。广东广州（市区）、深圳（市区）、珠海（市区）、中山（市区）、湛江（市区）有栽培。

| 资源情况 | 有少量栽培。药材主要来源于栽培。

| **采收加工** | 根，全年均可采挖，晒干；果实，成熟前采摘，晒干。

| **功能主治** | 根，苦，凉。清热。用于发热。果实，止咳平喘。用于咳嗽。

| **用法用量** | 内服煎汤，6 ~ 15 g。

| **凭证标本号** | 440882180406614LY。

野牡丹科 Melastomataceae 棱果花属 Barthea

棱果花
Barthea barthei (Hance ex Benth.) Krass.

| 药 材 名 | 棱果花（药用部位：根、叶。别名：毛药花、大野牡丹、棱果木）。

| 形态特征 | 灌木。叶披针形至卵状披针形或卵形，先端渐尖，基部圆形或微心形，长 4 ~ 14 cm，宽 1.5 ~ 5 cm。圆锥花序；花瓣紫红色，卵形、近圆形至倒卵形；雄蕊 4，花丝长 7 ~ 10 mm，被微柔毛；花药线形，长约 8 mm，弯曲，基部呈羊角状叉开；子房半下位，卵形，先端具4 小突起，被小腺点。蒴果椭圆形，4 纵裂，为宿存萼所包；宿存萼长约 5 mm，直径约 4 mm，被小腺点，先端常冠宿存萼片。花期 6 ~ 7月，果期 10 ~ 11 月。

| 生境分布 | 生于海拔 300 ~ 800 m 的山谷、疏密林下湿润处。广东各地均有分布。

| **资源情况** | 野生资源较丰富。药材主要来源于野生。

| **采收加工** | 全年均可采收，晒干。

| **功能主治** | 甘，平。健脾利水，活血调经。用于水肿，月经不调。

| **用法用量** | 内服煎汤，6 ~ 15 g。

| **凭证标本号** | 440781190321028LY。

野牡丹科 Melastomataceae 柏拉木属 Blastus

线萼金花树 *Blastus apricus* (Hand.-Mazz.) H. L. Li

| 药 材 名 | 线萼金花树（药用部位：叶）。

| 形态特征 | 灌木。叶卵形或披针状卵形，长 4 ~ 18 cm，宽 1.5 ~ 7 cm，先端渐尖。圆锥花序顶生；花萼漏斗形，具 4 棱；花瓣紫红色，卵形、近圆形或倒卵形；雄蕊 4；子房半下位，卵形，先端具 4 小突起。蒴果椭圆形，4 纵裂，为宿存萼所包；宿存萼长约 5 mm，直径约 4 mm，被小腺点，常冠以宿存萼片。花期 6 ~ 7 月，果期 10 ~ 11 月。

| 生境分布 | 生于海拔 100 ~ 1 200 m 的山谷疏密林、潮湿路旁或灌丛。分布于广东乐昌、乳源、从化。

| **资源情况** | 野生资源较丰富。药材主要来源于野生。 |

| **采收加工** | 全年均可采收，鲜用。 |

| **功能主治** | 止血。外用于外伤出血。 |

| **用法用量** | 外用适量，鲜品捣敷。 |

| **凭证标本号** | 叶华谷 2499。 |

野牡丹科 Melastomataceae 柏拉木属 *Blastus*

匙萼柏拉木 *Blastus cavaleriei* Lévl. et Van.

| **药 材 名** | 匙萼柏拉木（药用部位：叶）。

| **形态特征** | 灌木。叶卵形或披针状卵形，长 6.5 ～ 14 cm，宽 2 ～ 7 cm，先端渐尖。圆锥花序顶生；花萼漏斗形，具 4 棱；花瓣粉红色至紫红色，长圆形；雄蕊 4；子房半下位，卵形，先端具 4 小突起，无毛。蒴果椭圆形，4 纵裂，为宿存萼所包；宿存萼先端平截，被小腺点，长约 4 mm，直径 2.5 mm，常冠以宿存萼片。花期 6 ～ 8 月，果期 8 ～ 11 月。

| **生境分布** | 生于海拔 100 ～ 1 200 m 的山谷疏密林、潮湿路旁或灌丛。分布于广东乐昌、乳源、从化。

| **资源情况** | 野生资源较丰富。药材主要来源于野生。

| **采收加工** | 全年均可采收，鲜用。

| **功能主治** | 止血。外用于外伤出血。

| **用法用量** | 外用适量，鲜品捣敷。

| **凭证标本号** | 伍世忠 3662。

野牡丹科 Melastomataceae 柏拉木属 Blastus

柏拉木
Blastus cochinchinensis Lour.

| 药 材 名 | 柏拉木（药用部位：根。别名：野锦香）。

| 形态特征 | 灌木。叶披针形、狭椭圆形至椭圆状披针形，长 6 ~ 12 cm，宽 2 ~ 4 cm，先端渐尖，基部楔形。伞状聚伞花序；花萼钟状漏斗形；花瓣 4（~ 5），白色至粉红色，卵形；雄蕊 4（~ 5）；子房坛形，下位，4 室，先端具 4 小突起，被疏小腺点。蒴果椭圆形，4 裂，为宿存萼所包；宿存萼与果实等长，檐部平截。花期 6 ~ 8 月，果期 10 ~ 12 月。

| 生境分布 | 生于海拔 200 ~ 1 300 m 的开阔林中。广东各地均有分布。

| 资源情况 | 野生资源较丰富。药材主要来源于野生。

| **采收加工** | 夏、秋季采挖，晒干。

| **功能主治** | 涩、微酸，平。消肿解毒，收敛止血。用于产后出血不止，月经过多，肠炎腹泻；外用于跌打损伤，外伤出血，疮疡溃烂。

| **用法用量** | 内服煎汤，20 ～ 30 g。外用适量，研末撒敷。

| **凭证标本号** | 445222180604010LY。

野牡丹科 Melastomataceae 柏拉木属 Blastus

金花树

Blastus dunnianus Lévl.

药 材 名	金花树（药用部位：全株。别名：六便狼、谷皱草、巨萼柏拉木）。
形态特征	灌木。叶卵形、阔卵形或长圆状卵形，先端渐尖，基部钝至心形，长 6.5 ~ 15 cm，宽 3 ~ 6 cm。圆锥花序；花萼漏斗形，具 4 棱，裂片卵形或椭圆状卵形；花瓣粉红色至玫瑰色或红色，卵形；雄蕊 4；子房半下位或下位，卵形。蒴果椭圆形，4 纵裂，为宿存萼所包；宿存萼先端平截，冠以宿存萼片，长约 5 mm，直径约 3 mm，具 4 棱，被小腺点。花期 6 ~ 7 月，果期 9 ~ 11 月。
生境分布	生于海拔 230 ~ 1 300 m 的山谷、山坡疏密林中。分布于广东乐昌、乳源、连州、连山、连南、曲江、阳山、龙门、和平、博罗、广宁、怀集、封开、信宜。

| **资源情况** | 野生资源较丰富。药材主要来源于野生。

| **采收加工** | 全年均可采收,鲜用或晒干。

| **功能主治** | 辛,温。祛风除湿,活血止血。用于风湿痹痛,出血。

| **用法用量** | 内服煎汤,9 ~ 15 g。外用适量,鲜品捣敷。

| **凭证标本号** | 441825190807011LY。

野牡丹科 Melastomataceae 柏拉木属 Blastus

少花柏拉木 *Blastus pauciflorus* (Benth.) Guillaum.

| 药 材 名 |

少花柏拉木（药用部位：茎、叶）。

| 形 态 特 征 |

灌木。叶卵状披针形至卵形，先端短渐尖，基部钝至圆形，有时略偏斜，长3.5～6 cm，宽1.3～2.3 cm。圆锥花序；花萼漏斗形，具4棱；花瓣粉红色至紫红色，卵形；雄蕊4；子房半下位，先端具4小突起，稍被小腺点。蒴果椭圆形，为宿存萼所包；宿存萼漏斗形，具4小突起，棱形，长约3 mm，直径约2 mm，被黄色小腺点。花期7月，果期10月。

| 生 境 分 布 |

生于海拔100～400 m的山坡林下。分布于广东南雄、曲江、英德、翁源、龙川、梅县、大埔、蕉岭、惠阳、博罗、高要及清远（市区）。

| 资 源 情 况 |

野生资源较丰富。药材主要来源于野生。

| 采 收 加 工 |

全年均可采收，鲜用。

| **功能主治** | 涩、微苦，平。拔毒生肌，杀虫。外用于疮疖肿毒，疥疮。

| **用法用量** | 外用适量，鲜品捣敷；或煎汤洗；或研末调敷。

| **凭证标本号** | 441825190710009LY。

野牡丹科 Melastomataceae 野海棠属 Bredia

长萼野海棠 *Bredia longiloba* (Hand.-Mazz.) Diels

| **药 材 名** | 长萼野海棠（药用部位：全株。别名：紫背红、叶下红、女儿红）。

| **形态特征** | 亚灌木。叶卵形或椭圆状卵形，先端急尖或短渐尖，基部钝至浅心

形，长 5 ~ 8 cm，宽 2.2 ~ 4.5 cm，边缘具细锯齿。聚伞花序或伞形花序；花萼漏斗形，萼管长约 5 mm；花瓣紫红色，长圆状卵形；雄蕊近等长；子房卵形。蒴果杯形，先端具膜质冠；宿存萼杯形，具 4 棱，长约 5 mm，直径 4 ~ 6 mm，被微柔毛及疏腺毛，先端冠以宿存萼片。花期 8 ~ 10 月，果期约 10 月。

| 生境分布 | 生于海拔 600 ~ 900 m 的山坡、山谷疏林。分布于广东连州、阳山。

| 资源情况 | 野生资源较少。药材主要来源于野生。

| 采收加工 | 夏、秋季采收，鲜用或晒干。

| 功能主治 | 微苦，凉。清热祛湿，活血调经，解毒。用于热淋，月经不调，痛经，指头炎，诸疮肿毒。

| 用法用量 | 内服煎汤，9 ~ 15 g。外用适量，鲜品捣敷；或煎汤洗。

| 凭证标本号 | 441882181101024LY。

野牡丹科 *Melastomataceae* 野海棠属 *Bredia*

鸭脚茶
Bredia sinensis (Diels) H. L. Li

| 药 材 名 | 鸭脚茶（药用部位：全株。别名：中华野海棠、九节兰、雨伞子）。

| 形态特征 | 灌木。叶披针形至卵形或椭圆形，长 5 ～ 11 cm，宽 2 ～ 5 cm，基出脉 5。聚伞花序；花萼钟状漏斗形；花瓣粉红色至紫色；雄蕊 4 长 4 短，长者长约 16 mm；子房半下位，卵状球形，先端被微柔毛。蒴果近球形，为宿存萼所包；宿存萼钟状漏斗形，具 4 棱，先端平截，冠以宿存萼片，萼片有时被星状毛，长和直径均约 7 mm。花期 6 ～ 7 月，果期 8 ～ 10 月。

| 生境分布 | 生于海拔 400 ～ 1 200 m 的山谷、山坡林下。分布于广东蕉岭、大埔、梅县。

| 资源情况 | 野生资源较少。药材主要来源于野生。

| **采收加工** | 夏、秋季采收，晒干。

| **功能主治** | 辛，平。解表。用于感冒。

| **用法用量** | 内服煎汤，9 ~ 15 g。

| **凭证标本号** | 441422190717209LY。

野牡丹科 Melastomataceae 肥肉草属 *Fordiophyton*

异药花
Fordiophyton faberi Stapf

| 药 材 名 | 异药花（药用部位：叶。别名：多花肥肉草、光萼肥肉草、毛柄肥肉草）。

| 形态特征 | 草本。叶在同一节上的大小差别较大，广披针形至卵形，稀披针形，先端渐尖，基部浅心形，稀近楔形，长 5 ~ 14.5 cm，宽 2 ~ 5 cm。聚伞花序或伞形花序；花萼长漏斗形，具 4 棱；花瓣红色或紫红色，长圆形；雄蕊长者花丝长约 1.1 cm，短者花丝长约 7 mm；子房先端具膜质冠。蒴果倒圆锥形，顶孔 4 裂，最大处直径约 5 mm；宿存萼与蒴果同形，具不明显的 8 纵肋。花期 8 ~ 9 月，果期约翌年 6 月。

| 生境分布 | 生于海拔 600 ~ 1 100 m 的林下或岩石上潮湿处。分布于广东乐昌、乳源、阳山。

| **资源情况** | 野生资源较少。药材主要来源于野生。

| **采收加工** | 夏、秋季采收，晒干。

| **功能主治** | 辛、甘、苦，凉。清热利湿，凉血消肿，祛风除湿，清肺解毒。用于老人体虚，小儿衰弱，风湿痹痛，肺热咳嗽，漆疮。

| **用法用量** | 内服煎汤，10 ～ 20 g。

| **凭证标本号** | 441427180617511LY。

野牡丹科 Melastomataceae 肥肉草属 Fordiophyton

肥肉草 *Fordiophyton fordii* (Oliv.) Krass.

| **药 材 名** | 肥肉草（药用部位：全草。别名：异药花、酸杆、福笛木）。 |

| **形态特征** | 草本。茎四棱形，棱上常具狭翅。叶阔披针形至卵形或椭圆形。圆锥花序；花萼具4棱，被腺毛及白色小腺点；花瓣白色带红色、淡红色、红色或紫红色，倒卵状长圆形；雄蕊长者长约24 mm，短者长约8 mm，花药卵形；子房先端具膜质冠，冠檐具缘毛。蒴果倒圆锥形，具4棱。花期6~9月，果期8~11月。 |

| **生境分布** | 生于海拔540~1 700 m的山谷疏密林下阴湿处。分布于广东乐昌、乳源、始兴、连州、连南、仁化、阳山、翁源、龙门、龙川、和平、五华、惠阳、博罗、高要、阳春、广宁、怀集。 |

| **资源情况** | 野生资源较丰富。药材主要来源于野生。

| **采收加工** | 夏、秋季采收，晒干。

| **功能主治** | 甘、苦，凉。清热利湿，凉血消肿。用于痢疾，腹泻，吐血，痔疮出血。

| **用法用量** | 内服煎汤，6 ~ 15 g。

| **凭证标本号** | 441823200831008LY。

野牡丹科 Melastomataceae 酸脚杆属 Medinilla

北酸脚杆
Medinilla septentrionalis (W. W. Smith) H. L. Li

药材名

北酸脚杆（药用部位：根。别名：酸脚杆）。

形态特征

灌木。叶片纸质或坚纸质，披针形、卵状披针形至广卵形，先端尾状渐尖，基部钝或近圆形，长 6 ~ 8.5 cm，宽 2 ~ 3.5 cm。聚伞花序；花萼钟形；花瓣粉红色、浅紫色或紫红色；雄蕊 8，4 长 4 短；子房下位，卵形，先端具 4 波状齿。浆果坛形，长 7 mm，直径 6 mm；种子楔形，密被小突起。花期 6 ~ 9 月，果期翌年 2 ~ 5 月。

生境分布

生于山谷、山坡密林中或林缘阴湿处。分布于广东高州、信宜、高要、阳春、新兴、罗定及茂名（市区）。

资源情况

野生资源较少。药材主要来源于野生。

采收加工

夏、秋季采挖，晒干。

| 功能主治 | 苦、酸，平。息风定惊。用于小儿惊风，痢疾。

| 用法用量 | 内服煎汤，6 ~ 15 g。

| 凭证标本号 | 441284190727613LY。

野牡丹科 Melastomataceae 野牡丹属 Melastoma

多花野牡丹

Melastoma affine D. Don

| **药 材 名** | 多花野牡丹（药用部位：根、叶）。

| **形态特征** | 灌木。叶披针形、卵状披针形或近椭圆形，先端渐尖，基部圆形或近楔形。伞房花序；花萼长约 1.6 cm，密被鳞片状糙伏毛，裂片阔披针形；花瓣粉红色至红色，稀紫红色；雄蕊长者药隔基部伸长，末端 2 深裂，弯曲，短者药隔不伸长；子房半下位，密被糙伏毛。蒴果坛状球形。花期 2 ~ 5 月，果期 8 ~ 12 月，稀翌年 1 月。

| **生境分布** | 生于海拔 300 ~ 1 830 m 的山坡、山谷林下或疏林。分布于广东乐昌、龙门、阳春及广州（市区）。

| **资源情况** | 野生资源较丰富。药材主要来源于野生。

| 采收加工 | 夏、秋季采收，鲜用或晒干。

| 功能主治 | 苦、涩，凉。清热利湿，化瘀止血。用于消化不良，肠炎，痢疾，肝炎，衄血；外用于跌打损伤，刀伤出血。

| 用法用量 | 内服煎汤，15 ～ 30 g。外用适量，研末撒敷；或鲜品捣敷。

| 凭证标本号 | 441825190708021LY。

野牡丹科 Melastomataceae 野牡丹属 Melastoma

野牡丹 *Melastoma candidum* D. Don

| 药 材 名 | 野牡丹（药用部位：根、叶。别名：罐罐草）。

| 形态特征 | 灌木。叶卵形或宽卵形，长 4 ~ 10 cm，宽 2 ~ 6 cm，全缘，两面被糙伏毛及短柔毛。伞房状聚伞花序顶生，有花 3 ~ 5；花萼筒长约 2.2 cm，密被鳞片状糙伏毛及柔毛，萼裂片卵形；花瓣倒卵形，密被缘毛；雄蕊长者药隔基部伸长，弯曲，末端 2 深裂，短者药隔不延伸，花药基部具 1 对小瘤。蒴果卵球形，藏于杯状的花萼筒中，萼筒外密被鳞片状糙伏毛。花期 5 ~ 7 月，果期 10 ~ 12 月。

| 生境分布 | 生于海拔 1 200 m 以下的旷野、路旁、山坡松林下或开旷灌丛中。广东各地均有分布。

| **资源情况** | 野生资源较丰富。药材主要来源于野生。 |

| **采收加工** | 根，夏、秋季采收，晒干；叶，全年均可采收，鲜用。 |

| **功能主治** | 甘、酸、涩，平。清热利湿，消肿止痛，散瘀止血。根，用于消化不良，肠炎，痢疾，肝炎，衄血，便血，血栓闭塞性脉管炎。叶，外用于跌打损伤，外伤出血。 |

| **用法用量** | 根，内服煎汤，30 ~ 60 g。外用适量，研末敷。叶，外用适量，鲜品捣敷。 |

| **凭证标本号** | 441324190518016LY。 |

野牡丹科 Melastomataceae 野牡丹属 Melastoma

地菍
Melastoma dodecandrum Lour.

| **药 材 名** | 地菍（药用部位：全草或根。别名：铺地菍、地稔、乌地梨）。 |

| **形态特征** | 匍匐草本。叶卵形或椭圆形，长 1 ~ 4 cm，宽 0.8 ~ 2 (~ 3) cm。聚伞花序；花萼管长约 5 mm；花瓣淡紫红色至紫红色，菱状倒卵形；雄蕊长者药隔基部延伸；子房下位，先端具刺毛。果实坛状球形，平截，近先端略缢缩，肉质，不开裂，长 7 ~ 9 mm，直径约 7 mm；宿存萼被疏糙伏毛。花期 5 ~ 7 月，果期 7 ~ 9 月。 |

| **生境分布** | 生于海拔 1 250 m 以下的旷野、路旁、山坡矮草丛。广东各地均有分布。 |

| **资源情况** | 野生资源较丰富。药材主要来源于野生。 |

| 采收加工 | 秋季采收，晒干。

| 功能主治 | 甘、涩，平。清热解毒，祛风利湿，补血止血。用于预防流行性脑脊髓膜炎，肠炎，痢疾，肺脓肿，盆腔炎，子宫出血，贫血，带下，腰腿痛，风湿骨痛，外伤出血，蛇咬伤。

| 用法用量 | 内服煎汤，30 ~ 60 g。

| 凭证标本号 | 441523190403020LY。

野牡丹科 Melastomataceae 野牡丹属 Melastoma

细叶野牡丹
Melastoma intermedium Dunn

| 药 材 名 | 细叶野牡丹（药用部位：全株。别名：铺地莲）。

| 形态特征 | 小灌木。叶椭圆形或长圆状椭圆形，长 2 ~ 4 cm，宽 8 ~ 20 mm，全缘。伞房花序；花萼管长约 7 mm；花瓣玫瑰红色至紫色，菱状倒卵形，上部略偏斜；雄蕊长者药隔基部伸长；子房半下位，先端被刚毛。果实坛状球形，平截，先端略缢缩成颈，肉质，不开裂，长约 8 mm，直径约 1cm；宿存萼密被糙伏毛。花期 7 ~ 9 月，果期 10 ~ 12 月。

| 生境分布 | 生于海拔 1 300 m 以下的山坡或田边矮草丛。分布于广东乐昌、翁源、龙门、和平、大埔、陆丰、惠东、阳春及广州（市区）、河源（市区）。

| **资源情况** | 野生资源较丰富。药材主要来源于野生。

| **采收加工** | 夏、秋季采收，鲜用或晒干。

| **功能主治** | 甘、涩，平。消肿解毒。用于痢疾，口疮，疖肿，毒蛇咬伤。

| **用法用量** | 内服煎汤，20 ～ 30 g。外用适量，鲜品捣敷；或干品研末敷。

| **凭证标本号** | 441825190708028LY。

野牡丹科 Melastomataceae 野牡丹属 Melastoma

展毛野牡丹 *Melastoma normale* D. Don

| 药 材 名 | 展毛野牡丹（药用部位：全株。别名：肖野牡丹、白爆牙郎）。

| 形态特征 | 灌木。茎密被平展的长粗毛及短柔毛。叶卵形至椭圆形或椭圆状披针形，长 4 ~ 10.5 cm，宽 1.4 ~ 3.5（~ 5）cm，全缘，基出脉 5。伞房花序；花瓣紫红色，倒卵形，长约 2.7 cm；雄蕊长者药隔基部伸长，末端 2 裂，常弯曲，短者药隔不伸长；子房半下位，密被糙伏毛。蒴果坛状球形，先端平截；宿存萼与果实贴生，长 6 ~ 8 mm，直径 5 ~ 7 mm，密被鳞片状糙伏毛。花期春季至夏初，果期秋季。

| 生境分布 | 生于海拔 150 m 以上的开旷山坡灌草丛或疏林。分布于广东乐昌、连山、英德、阳山、五华、大埔、南海、高要、阳西、阳春、封开、信宜、高州、化州及广州（市区）、东莞（市区）、清远（市区）、深圳（市区）。

| **资源情况** | 野生资源较丰富。药材主要来源于野生。

| **采收加工** | 夏、秋季采收，晒干。

| **功能主治** | 甘、酸、涩，性微温。解毒收敛，祛瘀消肿，消积滞，止血，止痛。用于痢疾，外伤出血，消化不良，肠炎腹泻，便血，月经过多，带下，牙痛，疮疡溃烂。

| **用法用量** | 内服煎汤，20 ~ 30 g。

| **凭证标本号** | 441523191019004LY。

野牡丹科 Melastomataceae 野牡丹属 Melastoma

毛菍 *Melastoma sanguineum* Sims

| **药 材 名** | 毛菍（药用部位：根、叶。别名：红爆牙郎、红毛菍）。

| **形态特征** | 灌木。茎、枝、叶柄、花梗及花萼被平展的糙伏毛。叶卵状披针形至披针形，长 8 ～ 15 cm，宽 2.5 ～ 5 cm，全缘。伞房花序；花萼筒长 1 ～ 2 cm，萼裂片三角形、三角状披针形或菱状长圆形；花瓣粉紫红色，阔倒卵形，长 3 ～ 5 cm；长者雄蕊药隔基部伸长，末端 2 裂，短者雄蕊药隔不伸长，基部具 2 小瘤；子房半下位，密被糙伏毛。蒴果近球形，藏于杯状花萼筒中；宿存萼密被红色糙伏毛。花期几全年。

| **生境分布** | 生于海拔 400 m 以下的山地、丘陵。广东各地均有分布。

| **资源情况** | 野生资源较丰富。药材主要来源于野生。

| **采收加工** | 夏、秋季采收，晒干。

| **功能主治** | 涩，平。收敛止血，止痢。用于腹泻，月经过多，便血；外用于创伤出血。

| **用法用量** | 内服煎汤，9 ~ 30 g。外用适量，叶研末撒敷。

| **凭证标本号** | 441523191018024LY。

野牡丹科 Melastomataceae 谷木属 Memecylon

谷木

Memecylon ligustrifolium Champ.

| 药 材 名 | 谷木（药用部位：枝、叶。别名：山梨子、子楝树、鱼木）。

| 形态特征 | 小乔木。叶椭圆形至卵形或卵状披针形，长 5.5 ~ 8 cm，宽 2.5 ~ 3.5 cm，全缘。聚伞花序；花萼半球形，长 1.5 ~ 3 mm，边缘具浅波状 4 齿；花瓣白色、淡黄绿色或紫色，半圆形，先端圆形；雄蕊蓝色，长约 4.5 mm；子房下位，先端平截。浆果状核果球形，直径约 1 cm，密布小瘤状突起，先端具环状宿存萼檐。花期 5 ~ 8 月，果期 12 月至翌年 2 月。

| 生境分布 | 生于海拔 160 ~ 1 340 m 的密林中。分布于广东乐昌、英德、阳山、新丰、翁源、大埔、丰顺、饶平、南澳、惠阳、博罗、斗门、高要、台山、阳春、阳西、怀集、德庆、郁南、信宜、封开、高州及清远（市区）、揭阳（市区）、广州（市区）、深圳（市区）。

| **资源情况** | 野生资源较丰富。药材主要来源于野生。 |

| **采收加工** | 夏、秋季采收，鲜用。 |

| **功能主治** | 苦、微辛，平。活血止痛。外用于跌打肿痛。 |

| **用法用量** | 外用适量，鲜品捣敷。 |

| **凭证标本号** | 441825190502037LY。 |

野牡丹科 Melastomataceae 谷木属 Memecylon

细叶谷木
Memecylon scutellatum (Lour.) Hook. et Arn.

| 药 材 名 | 细叶谷木（药用部位：叶。别名：螺丝木、羊角扭、羊角）。

| 形态特征 | 灌木或小乔木。叶椭圆形至卵状披针形，长 2 ~ 5 cm，宽 1 ~ 3 cm。聚伞花序；花萼浅杯形；花瓣紫色或蓝色，广卵形；雄蕊长约 3 mm，药室与膨大的圆锥形药隔长约 1 mm，脊上具 1 环状体，花丝长约 2 mm。浆果状核果球形，直径 6 ~ 7 mm，密布小疣状突起，先端具环状宿存萼檐。花期 6 ~ 8 月，果期翌年 1 ~ 3 月。

| 生境分布 | 生于疏密林中。分布于广东博罗、斗门、高州、廉江、遂溪、雷州、徐闻及揭阳（市区）。

| 资源情况 | 野生资源较少。药材主要来源于野生。

| 采收加工 | 全年均可采收，鲜用。

| 功能主治 | 解毒消肿。外用于疮痈肿毒。

| 用法用量 | 外用适量，鲜品捣敷。

| 凭证标本号 | 440982140813001LY。

野牡丹科 Melastomataceae 金锦香属 Osbeckia

金锦香 *Osbeckia chinensis* L.

药材名

金锦香（药用部位：全株。别名：仰天钟、金香炉）。

形态特征

直立草本或亚灌木。叶线形或线状披针形，极稀卵状披针形，长 2 ~ 6 cm，宽 3 ~ 8 mm，全缘。头状花序顶生，有花 2 ~ 10；花萼无毛或具 1 ~ 5 刺毛状突起，裂片 4；花瓣 4，淡紫红色或粉红色，倒卵形，长约 1 cm，具缘毛；雄蕊 8；子房近球形，先端有刚毛 16，4 室。蒴果紫红色，卵状球形，4 纵裂；宿存萼坛状；种子细小，马蹄形弯曲。花期 7 ~ 9 月，果期 9 ~ 11 月。

生境分布

生于海拔 600 m 以下的草坡或疏林中。广东各地均有分布。

资源情况

野生资源较丰富。药材主要来源于野生。

采收加工

夏、秋季采收，鲜用或晒干。

| 功能主治 | 淡，平。清热利湿，消肿解毒，止咳化痰。用于急性细菌性痢疾，阿米巴痢疾，阿米巴肝脓肿，肠炎，感冒咳嗽，咽喉肿痛，小儿支气管哮喘，肺结核咯血，阑尾炎；外用于毒蛇咬伤，疔疮疖肿。 |

| 用法用量 | 内服煎汤，15 ~ 60 g。外用适量，鲜品捣敷。 |

| 凭证标本号 | 440224181113007LY。 |

野牡丹科 Melastomataceae 金锦香属 Osbeckia

假朝天罐

Osbeckia crinita Benth. ex C. B. Clarke

| 药 材 名 | 假朝天罐（药用部位：全株。别名：罐罐花、茶罐花、张天师）。

| 形态特征 | 灌木。叶长圆状披针形、卵状披针形至椭圆形，长 4 ~ 9 cm，宽 2 ~ 3.5 cm，全缘，基出脉 5。圆锥花序；花萼长约 2 cm；花瓣 4，紫红色，倒卵形；雄蕊 8，分离，常偏向一侧，花丝与花药等长，花药具长喙，药隔基部微膨大，向前微伸，向后成短距；子房卵形，4 室，先端有刚毛 20 ~ 22，上部被疏硬毛。蒴果卵形，4 纵裂；宿存萼坛形，近中部缢缩，先端平截。花期 8 ~ 11 月，果期 10 ~ 12 月。

| 生境分布 | 生于海拔 400 m 以上的山坡林中。分布于广东新丰、博罗。

| **资源情况** | 野生资源较少。药材主要来源于野生。 |

| **采收加工** | 全年均可采收，晒干。 |

| **功能主治** | 涩，凉。清热解毒，收敛止血，祛风除湿。用于淋病，疯狗咬伤，痢疾，风湿关节肿痛。 |

| **用法用量** | 内服煎汤，3 ～ 9 g。 |

| **凭证标本号** | 叶华谷 3057。 |

野牡丹科 Melastomataceae 金锦香属 Osbeckia

朝天罐

Osbeckia opipara C. Y. Wu et C. Chen

| 药 材 名 | 朝天罐（药用部位：全株。别名：三叶金锦香）。

| 形态特征 | 亚灌木。叶对生或有时3轮生，卵形至卵状披针形，长5.5～11.5 cm，宽 2.3～3 cm，全缘，基出脉5。圆锥花序；花萼长约 2.3 cm；花瓣深红色至紫色，卵形，长约 2 cm；雄蕊 8，花药具长喙，药隔基部微膨大，末端具刺毛；子房先端具1圈短刚毛，上半部被疏微柔毛。蒴果长卵形，为宿存萼所包；宿存萼长坛状，中部略上缢缩，长 1.4（～2）cm，被刺毛状有柄星状毛。花果期7～9月。

| 生境分布 | 生于海拔 250～800 m 的山林或灌丛。分布于广东南雄、连山、连南、阳山、英德、翁源、蕉岭、阳春、怀集及广州（市区）、河源（市区）。

| **资源情况** | 野生资源较丰富。药材主要来源于野生。

| **采收加工** | 夏、秋季采收，晒干。

| **功能主治** | 涩，温。清热，收敛止血，止咳，抗肿瘤。用于细菌性痢疾，肠炎，虚咳，咯血，小便失禁，白带过多，肺结核咯血，鼻咽癌，乳腺癌，慢性支气管炎。

| **用法用量** | 内服煎汤，15 ~ 30 g。

| **凭证标本号** | 441825190709012LY。

野牡丹科 Melastomataceae 锦香草属 *Phyllagathis*

锦香草

Phyllagathis cavaleriei (Lévl. et Van.) Guill.

| 药 材 名 | 锦香草（药用部位：全草或根。别名：铁高杯、铺地毡、熊巴耳）。

| 形态特征 | 草本。叶阔卵形、阔椭圆形或圆形，长 6 ～ 12.5（～ 16）cm，宽 4.5 ～ 11（～ 14）cm。伞形花序；花萼漏斗状，四棱形；花瓣粉红色至紫色，阔倒卵形，上部略偏斜；雄蕊近等长，长 8 ～ 10 mm，花药长 4 ～ 5 mm，基部具小瘤或瘤不甚明显，药隔下延成短距；子房杯形，先端具冠。蒴果杯形，先端冠 4 裂，伸出宿存萼外约 2 mm，直径约 6 mm；宿存萼具 8 纵肋，果柄伸长，被糠秕。花期 6 ～ 8 月，果期 7 ～ 9 月。

| 生境分布 | 生于海拔 400 ～ 1 500 m 的山谷、山坡疏密林下阴湿处。分布于广东乐昌、乳源、连山、连南、英德、大埔、广宁、封开、德庆、信宜。

| **资源情况** | 野生资源较丰富。药材主要来源于野生。

| **采收加工** | 夏、秋季采收，晒干。

| **功能主治** | 辛、苦，微寒。清热解毒，凉血，消肿利湿。用于痢疾，痔疮出血，小儿阴囊肿大。

| **用法用量** | 内服煎汤，15 ~ 20 g。

| **凭证标本号** | 440224190609011LY。

野牡丹科 Melastomataceae 锦香草属 Phyllagathis

红敷地发 Phyllagathis elattandra Diels

药材名

红敷地发（药用部位：全草。别名：石发、石莲）。

形态特征

草本。叶椭圆形、倒卵形或近圆形，长10～22 cm，宽7～15 cm。圆锥花序；花萼漏斗状，四棱形；花瓣粉红色、红色至紫红色，长圆状卵形，略偏斜；雄蕊8，其中4退化；子房卵形，先端具膜质冠，冠缘具细缘毛。蒴果杯形，先端平截，为宿存萼所包；宿存萼长约6 mm，宽4 mm，具8脉，四棱形，棱上具狭翅，被腺毛，其余具糠秕。花期9～11月，果期翌年1～3月。

生境分布

生于海拔200～910 m的山坡、山谷疏林。分布于广东乐昌、连山、郁南、罗定、信宜。

资源情况

野生资源较丰富。药材主要来源于野生。

采收加工

夏、秋季采收，晒干。

| **功能主治** | 微酸，平。止咳。用于咳嗽。 |

| **用法用量** | 内服煎汤，15 ～ 20 g。 |

| **凭证标本号** | 叶华谷、刘念 2313。 |

野牡丹科 Melastomataceae 锦香草属 *Phyllagathis*

叶底红 *Phyllagathis fordii* (Hance) C. Chen

| **药 材 名** | 叶底红（药用部位：全株。别名：野海棠、叶下红）。

| **形态特征** | 小灌木、半灌木或近草本。叶心形、椭圆状心形至卵状心形，长 5～10 cm，宽 3～6 cm。圆锥花序；花萼钟状漏斗形；花瓣紫色或紫红色，卵形至广卵形；雄蕊等长；子房卵形，先端具膜质冠，冠缘具啮蚀状细齿。蒴果杯形，为宿存萼所包；宿存萼先端平截，冠以宿存萼片，被刺毛，毛基部略膨大，长 6～10 mm，直径 8～12 mm。花期 6～8 月，果期 8～10 月。

| **生境分布** | 生于海拔 100～1 350 m 的山地疏密林中。分布于广东乐昌、连南、梅县、高要、阳春、信宜。

| **资源情况** | 野生资源较丰富。药材主要来源于野生。

| **采收加工** | 夏、秋季采收，晒干。

| **功能主治** | 甘、微酸，温。益肾调经，活血补血。用于病后虚弱，贫血，脾胃虚弱，带下，不孕症，月经不调。

| **用法用量** | 内服煎汤，15 ～ 25 g。

| **凭证标本号** | 441225180611016LY。

野牡丹科 Melastomataceae 锦香草属 Phyllagathis

毛柄锦香草
Phyllagathis oligotricha Merr.

| 药 材 名 | 毛柄锦香草（药用部位：全株）。

| 形态特征 | 小灌木。叶大小不一，阔卵形至阔椭圆形或披针状卵形，长 5 ～ 11 cm，宽 4 ～ 8 cm，基出脉 5。聚伞花序；花萼钟状漏斗形；花瓣红色，长圆形至椭圆状长圆形；雄蕊近等长；子房近球形，先端平截，盘状，4 裂。蒴果杯状，先端平截，钝四棱形；宿存萼与果实同形，先端冠微露，被疏刺毛，长 6 mm，直径 4.5 mm。花期约 6 月，果期 8 ～ 11 月。

| 生境分布 | 生于海拔 700 ～ 1 100 m 的山谷、山坡疏密林下或石缝间。分布于广东乐昌、乳源、连山。

| 资源情况 | 野生资源较少。药材主要来源于野生。

| 采收加工 | 夏、秋季采收，晒干。

| 功能主治 | 苦，寒。化痰止咳。用于咳嗽。

| 用法用量 | 内服煎汤，15 ~ 20 g。

| 凭证标本号 | 441882180814055LY。

野牡丹科 Melastomataceae 楮头红属 Sarcopyramis

楮头红 *Sarcopyramis nepalensis* Wall.

| **药 材 名** | 楮头红（药用部位：全草。别名：尼泊尔肉穗草）。 |

| **形态特征** | 草本。叶阔卵形或卵形，稀近披针形，长（2 ~ ）5 ~ 10 cm，宽 2.5 ~ 4.5 cm。聚伞花序；花萼四棱形，棱上有狭翅；花瓣粉红色，倒卵形；雄蕊等长；子房先端具膜质冠，冠缘浅波状，微 4 裂。蒴果杯形，具 4 棱，膜质冠长出萼 1 倍。花期 8 ~ 10 月，果期 9 ~ 12 月。 |

| **生境分布** | 生于海拔 600 ~ 1 600 m 的密林下或溪边。分布于广东乐昌、乳源、南雄、曲江、连州、连山、连南、英德、阳山、翁源、新丰、连平、龙门、和平、梅县、惠东、博罗、高要、封开。 |

| **资源情况** | 野生资源较少。药材主要来源于野生。 |

| 采收加工 | 夏、秋季采收，晒干。

| 功能主治 | 酸，凉。利湿解毒，清肝明目。用于肺热咳嗽，头目眩晕，目赤畏光，肝炎，风湿痹痛，跌打伤肿，蛇头疔，无名肿毒，耳鸣，耳聋。

| 用法用量 | 内服煎汤，15 ~ 20 g。

| 凭证标本号 | 441825190503017LY。

野牡丹科 Melastomataceae 蜂斗草属 Sonerila

翅茎蜂斗草

Sonerila alata Chun et How ex C. Che

| 药 材 名 | 翅茎蜂斗草（药用部位：全草）。

| 形态特征 | 草本。叶卵形或宽卵形，长 2.5 ~ 4 cm，宽 1 ~ 2.5 cm。蝎尾状聚伞花序；花萼管状漏斗形，长约 8.5 mm，裂片长三角形，先端渐尖，长约 3 mm；花瓣粉红色，长卵形，先端长渐尖，长约 9 mm，宽约 3 mm；雄蕊 3，花丝花蕾时长约 3 mm，花药长约 5 mm，药隔不膨大；子房瓶形，先端具膜质冠。蒴果倒圆锥形，具 3 棱，与宿存萼贴生；宿存萼无毛，长约 9 mm，直径 4 mm，萼片通常不脱落。花果期 8 ~ 10 月。

| 生境分布 | 生于林下阴湿处。分布于广东连山、连南、英德、翁源。

资源情况	野生资源较少。药材主要来源于野生。
采收加工	全年均可采收，鲜用。
功能主治	辛，平。活血消肿。外用于跌打肿痛。
用法用量	外用适量，捣敷。
凭证标本号	441827180322046LY。

野牡丹科 Melastomataceae 蜂斗草属 *Sonerila*

蜂斗草

Sonerila cantonensis Stapf

| 药 材 名 | 蜂斗草（药用部位：全草。别名：桑勒草）。

| 形态特征 | 草本。叶卵形或椭圆状卵形，长 3 ~ 5.5（~ 9）cm，宽 1.3 ~ 2.2（~ 3.8）cm。蝎尾状聚伞花序或二歧聚伞花序；花萼钟状管形；花瓣粉红色或浅玫瑰红色，长圆形；雄蕊 3；子房瓶形，先端具膜质冠，具 3 缺刻。蒴果倒圆锥形，略具 3 棱，长 5 ~ 7 mm，直径 4 ~ 5 mm，3 纵裂，与宿存萼贴生；宿存萼无毛，具 6 脉。花期 7 ~ 10 月，果期 12 月至翌年 2 月。

| 生境分布 | 生于海拔 300 ~ 1 300 m 的山坡、山谷密林阴湿处。分布于广东乳源、始兴、英德、新丰、从化、龙门、和平、大埔、惠东、陆丰、博罗、高要、阳春、怀集、封开、德庆、罗定、信宜、化州、高州。

| 资源情况 | 野生资源较丰富。药材主要来源于野生。

| 采收加工 | 夏、秋季采收，鲜用。

| 功能主治 | 酸，凉。通经活络。外用于跌打肿痛，目生翳膜。

| 用法用量 | 外用适量，鲜品捣敷。

| 凭证标本号 | 441825190502031LY。

野牡丹科 Melastomataceae 蜂斗草属 Sonerila

溪边桑勒草 *Sonerila rivularis* Cogn.

| 药 材 名 | 溪边桑勒草（药用部位：全草。别名：溪边蜂斗草、地胆、小蜂斗草）。

| 形态特征 | 草本。叶倒卵形或椭圆形，有时一侧偏斜，近菱状卵形，长 3 ~ 8 cm，宽 2.5 ~ 4.5 cm。蝎尾状聚伞花序；花萼漏斗形；花瓣粉红色，长圆形；雄蕊 3；子房瓶形或杯形，先端具膜质冠。蒴果倒圆锥形或三棱形，与宿存萼贴生；宿存萼被糠秕或几无，长约 7 mm，直径约 4 mm，萼片通常不落。花期 6 ~ 8 月，果期 8 ~ 11 月。

| 生境分布 | 生于海拔 400 ~ 830 m 的山地、山谷灌丛。分布于广东连山、英德、翁源、和平、龙川、兴宁、蕉岭、新会、阳春、信宜、高州及云浮（市区）。

| **资源情况** | 野生资源较丰富。药材主要来源于野生。 |

| **采收加工** | 夏、秋季采收，鲜用。 |

| **功能主治** | 苦，平。解毒，化瘀，止血。外用于枪弹伤。 |

| **用法用量** | 外用适量，鲜品捣敷。 |

| **凭证标本号** | 441284190719686LY。 |

野牡丹科 Melastomataceae 蜂斗草属 Sonerila

三蕊草 *Sonerila tenera* Royle

药材名

三蕊草（药用部位：全草。别名：柳叶菜地胆、短药地胆）。

形态特征

草本。叶狭椭圆形至卵形，长 10 ~ 25 mm，宽 4 ~ 7 mm，边缘具细锯齿。蝎尾状聚伞花序；花萼钟状管形；花瓣粉红色、紫红色或浅蓝色，长圆状椭圆形；雄蕊 3；子房瓶形，先端膜质冠微 3 裂。蒴果柱状圆锥形，略具 3 棱，长约 4 mm，宽 2 mm，与宿存萼贴生；宿存萼被疏腺毛，具 6 脉。花期 8 ~ 10 月，果期 10 ~ 12 月。

生境分布

生于海拔 600 ~ 1 400 m 的林下或草地。分布于广东连山、始兴、阳山、翁源、连平、和平、博罗、封开。

资源情况

野生资源较少。药材主要来源于野生。

采收加工

夏、秋季采收，晒干。

| **功能主治** | 甘、微苦，平。补血活血。用于血虚萎黄，崩漏，月经不调。

| **用法用量** | 内服煎汤，15 ～ 20 g。

| **凭证标本号** | 441825190927018LY。

使君子科 Combretaceae 风车子属 Combretum

风车子

Combretum alfredii Hance

| 药 材 名 | 风车子（药用部位：根、叶。别名：水番桃、清凉树）。

| 形态特征 | 攀缘灌木。叶长椭圆形至阔披针形，长12～16 cm，宽4.8～7.3 cm，圆锥花序；花萼钟状；花瓣长约2 mm，黄白色；雄蕊8；子房圆柱状，长约1.5 mm，基部略狭而平截，稍四棱形，有鳞片；花柱圆柱状，胚珠2，倒垂。果实椭圆形，有4翅，圆形、近圆形或梨形，长1.7～2.5 cm，被黄色或橙黄色鳞片，翅纸质，等大，成熟时红色或紫红色；果柄长2～4 mm；种子1，纺锤形，有纵沟8，通常长1.5 cm，直径约4 mm。花期5～8月，果期9月开始。

| 生境分布 | 生于海拔200～800 m的河边、谷地。分布于广东乐昌、乳源、曲江、连州、仁化、英德、新丰、龙门、龙川、梅县、博罗、高要、台山、阳春、德庆、怀集、封开及广州（市区）、深圳（市区）。

资源情况	野生资源较丰富。药材主要来源于野生。
采收加工	夏、秋季采收，鲜用或晒干。
功能主治	甘、淡、微苦，平。根，清热利胆。用于黄疸性肝炎。叶，驱虫。用于蛔虫病、鞭虫病；鲜叶外用于烫火伤。
用法用量	根，内服煎汤，15 ~ 30 g。叶，内服煎汤，9 ~ 18 g；或鲜品空腹服，30 g，每日 2 次。外用适量，鲜品捣烂调淘米水敷。
凭证标本号	441827180811001LY。

使君子科 Combretaceae 榄李属 Lumnitzera

榄李
Lumnitzera racemosa Willd.

| 药 材 名 | 榄李（药用部位：果实。别名：滩疤树）。

| 形态特征 | 小乔木。叶肉质，匙形或狭倒卵形，长 5.7 ~ 6.8 cm，宽 1.5 ~ 2.5 cm。总状花序；萼管延伸于子房之上，基部狭，裂齿 5；花瓣 5，白色；雄蕊 5 或 10；子房纺锤形。果实卵形至纺锤形，长 1.4 ~ 2 cm，直径 5 ~ 8 mm，每侧各有宿存的小苞片 1，上部具线纹，下部平滑，一侧稍压扁，具 2 或 3 棱，先端冠以萼肢；种子 1，圆柱状，种皮棕色。花果期 12 月至翌年 3 月。

| 生境分布 | 生于海岸边。分布于广东惠东、海丰、台山、徐闻及深圳（市区）。

| **资源情况** | 野生资源较丰富。药材主要来源于野生。

| **采收加工** | 全年均可采收，鲜用。

| **功能主治** | 辛、苦，平。解毒，燥湿，止痒。用于皮肤瘙痒。

| **用法用量** | 外用适量，煎汤洗。

| **凭证标本号** | 440825170830006LY。

使君子
Quisqualis indica L.

| 药 材 名 | 使君子（药用部位：种子。别名：留球子）。

| 形态特征 | 攀缘灌木。叶卵形或椭圆形，长 5 ~ 11 cm，宽 2.5 ~ 5.5 cm。伞房花序；萼管长 5 ~ 9 cm，被黄色柔毛；花瓣 5，初为白色，后转为淡红色；雄蕊 10，花药长约 1.5 mm；子房下位，胚珠 3。果实卵形，短尖，长 2.7 ~ 4 cm，直径 1.2 ~ 2.3 cm，无毛，具明显的锐棱角 5；种子 1，白色，长 2.5 cm，直径约 1 cm，圆柱状纺锤形。花期初夏，果期秋末。

| 生境分布 | 生于疏林中或林缘。分布于广东乐昌、连州、英德、阳山、和平、兴宁、博罗、南海、斗门、高要、阳春、封开、高州、徐闻及广州（市区）、清远（市区）。

| **资源情况** | 野生资源较丰富。药材主要来源于野生。 |

| **采收加工** | 8～9月果实由绿变黑时采收，晒干。 |

| **功能主治** | 甘，温；有小毒。杀虫，消积，健脾。用于蛔虫病，蛲虫病，虫积腹痛，小儿疳积。 |

| **用法用量** | 内服煎汤，3～9 g。 |

| **凭证标本号** | 441823200723010LY。 |

榄仁树
Terminalia catappa L.

| **药 材 名** | 榄仁树（药用部位：树皮、叶。别名：假枇杷）。

| **形态特征** | 大乔木。叶大；叶片倒卵形，长 12 ~ 22 cm，宽 8 ~ 15 cm。穗状花序，雄花生于上部，两性花生于下部；花绿色或白色；花瓣缺；萼筒杯状，长 8 mm，外面无毛，内面被白色柔毛，萼齿 5，三角形；雄蕊 10；子房圆锥形，幼时被毛，成熟时近无毛。果实椭圆形，常稍压扁，具 2 棱，棱上具翅状的狭边，长 3 ~ 4.5 cm，宽 2.5 ~ 3.1 cm。花期 3 ~ 6 月，果期 7 ~ 9 月。

| **生境分布** | 生于气候湿热的海边沙滩。分布于广东徐闻。广东信宜、阳春、徐闻及广州（市区）、湛江（市区）有栽培。

| **资源情况** | 野生资源较少。多有栽培。药材主要来源于栽培。 |

| **采收加工** | 夏、秋季采收，晒干。 |

| **功能主治** | 微涩，平。收敛，化痰止咳。用于腹泻下痢，感冒咳嗽，支气管炎。 |

| **用法用量** | 内服煎汤，10 ~ 15 g。 |

| **凭证标本号** | 445122151020009LY。 |

使君子科 Combretaceae 榄仁树属 Terminalia

诃子

Terminalia chebula Retz.

| 药 材 名 |

诃子（药用部位：果实。别名：诃黎勒）。

| 形态特征 |

乔木。叶卵形或椭圆形至长椭圆形，长7～14 cm，宽 4.5～8.5 cm。圆锥花序；花萼杯状，淡绿色而带黄色，干时变淡黄色，长约 3.5 mm，5 齿裂，裂片长约 1 mm，三角形，先端短尖，外面无毛；雄蕊 10，高出花萼之上；子房圆柱形，长约 1 mm，被毛。核果坚硬，卵形或椭圆形，长 2.4～4.5 cm，直径 1.9～2.3 cm，粗糙，青色，无毛，成熟时变黑褐色，通常有 5 钝棱。花期 5 月，果期 7～9 月。

| 生境分布 |

广东无野生分布。广东广州（市区）等有栽培。

| 资源情况 |

有少量栽培。药材主要来源于栽培。

| 采收加工 |

秋季采收，晒干。

| **功能主治** | 苦、酸、涩，温。涩肠止泻，敛肺化痰。用于慢性肠炎，慢性支气管炎，哮喘，慢性喉头炎，消化性溃疡，便血，脱肛，痔疮出血。

| **用法用量** | 内服煎汤，6 ~ 9 g。

| **凭证标本号** | 黄成 160991。

红树科 Rhizophoraceae 木榄属 Bruguiera

木榄

Bruguiera gymnorrhiza (L.) Lam.

| 药 材 名 | 木榄（药用部位：树皮。别名：五梨蛟、五脚里、鸡爪榄）。

| 形态特征 | 乔木或灌木。叶椭圆状长圆形，长 7 ~ 15 cm，宽 3 ~ 5.5 cm。花单生，盛开时长 3 ~ 3.5 cm，有长 1.2 ~ 2.5 cm 的花梗；花萼平滑无棱，暗黄红色，花萼裂片 8 ~ 16；花瓣长 1.1 ~ 1.3 cm，中部以下密被长毛，上部无毛或几无毛，2 裂，裂片先端有 2 ~ 3（~ 4）条刺毛，裂缝间具 1 刺毛；雄蕊略短于花瓣；花柱 3 ~ 4 棱柱形，长约 2 cm，黄色，柱头 3 ~ 4 裂，胚轴长 15 ~ 25 cm。花果期几全年。

| 生境分布 | 生于略干旱、伸向内陆的海湾泥滩。分布于广东饶平、海丰、惠东、阳西、台山、雷州、徐闻及湛江（市区）、深圳（市区）。

| **资源情况** | 野生资源较丰富。药材主要来源于野生。

| **采收加工** | 夏、秋季采收，晒干。

| **功能主治** | 微涩，凉。收敛止泻。用于腹泻。

| **用法用量** | 内服煎汤，3 ~ 9 g。

| **凭证标本号** | 440881180201023LY。

红树科 Rhizophoraceae 竹节树属 Carallia

竹节树

Carallia brachiata (Lour.) Merr.

| 药 材 名 |

竹节树（药用部位：树皮。别名：山竹犁、气管木、鹅唇木）。

| 形态特征 |

乔木。叶长圆形、椭圆形至倒披针形或近圆形，全缘，稀具锯齿。花序腋生；花小，基部有浅碟状的小苞片；花萼 6 ～ 7 裂，稀 5 或 8 裂，钟形，长 3 ～ 4 mm，裂片三角形，短尖；花瓣白色，近圆形，连柄长 1.8 ～ 2 mm，宽 1.5 ～ 1.8 mm，边缘撕裂状；雄蕊长短不一；柱头盘状，4 ～ 8 浅裂。果实近球形，直径 4 ～ 5 mm，先端冠以短三角形萼齿。花期冬季至翌年春季，果期翌年春、夏季。

| 生境分布 |

生于灌丛、山谷杂木林或村落附近。分布于广东南澳、惠来、惠东、惠阳、博罗、顺德、斗门、台山、广宁、封开、高要、阳春、阳西、高州、化州、雷州、徐闻及广州（市区）、云浮（市区）、深圳（市区）。

| 资源情况 |

野生资源较丰富。药材主要来源于野生。

| 采收加工 | 夏、秋季采收，晒干。

| 功能主治 | 截疟。用于疟疾。

| 用法用量 | 内服煎汤，3 ~ 9 g。

| 凭证标本号 | 440781190711026LY。

红树科 Rhizophoraceae 竹节树属 *Carallia*

锯叶竹节树

Carallia pectinifolia W. C. Ko [*Carallia longipes* Chun ex W. C. Ko]

| 药材名 | 锯叶竹节树（药用部位：根、枝、叶。别名：旁杞木）。

| 形态特征 | 灌木或小乔木。叶长圆形，稀倒披针形，长 5 ~ 13 cm，宽 2.5 ~ 5.5 cm，边缘有篦状小齿。花序具短总花梗，二歧分枝；花萼近圆形，直径 4 ~ 6 mm，6 ~ 7 深裂，裂片长三角形；花瓣白色，盛开时长、宽均为 1.8 ~ 2 mm，先端 2 裂，边缘折皱和不规则分裂，花瓣柄长 1 ~ 1.8 mm。果实球形，直径 6 ~ 7 mm，成熟时红色，有宿存的红色花萼裂片；种子矩圆形或近肾形。花果期春、夏季。

| 生境分布 | 生于山地杂木林内或灌丛。分布于广东郁南、封开、罗定、阳春、信宜、高州、化州。

| **资源情况** | 野生资源较丰富。药材主要来源于野生。 |

| **采收加工** | 夏、秋季采收，晒干。 |

| **功能主治** | 微甘、涩，凉。清热凉血，利尿消肿，接筋骨。用于感冒发热，暑热口渴，跌打肿痛，骨折，刀伤出血。 |

| **用法用量** | 内服煎汤，9 ~ 15 g。 |

| **凭证标本号** | 黄成 160991。 |

红树科 Rhizophoraceae 角果木属 Ceriops

角果木

Ceriops tagal (Perr.) C. B. Rob.

药 材 名

角果木（药用部位：茎皮、叶、果实。别名：海淀子、海枷子、剪子树）。

形态特征

灌木或乔木。叶倒卵形至倒卵状长圆形，长 4 ~ 7 cm，宽 2 ~ 3（~ 4）cm。聚伞花序腋生，具总花梗，长 2 ~ 2.5 cm，分枝，有花 2 ~ 4(~ 10）；花小，盛开时长 5 ~ 7 mm；花萼裂片小；花瓣白色，短于萼；雄蕊长短相间，短于花萼裂片。果实圆锥状卵形，长 1 ~ 1.5 cm，基部直径 0.7 ~ 1 cm；胚轴长 15 ~ 30 cm，中部以上略粗大。花期秋、冬季，果期冬季。

生境分布

生于海边泥滩林中。分布于广东徐闻。

资源情况

野生资源较丰富。药材主要来源于野生。

采收加工

夏、秋季采收，鲜用或晒干。

| **功能主治** | 苦、涩，寒。消肿解毒，收敛止血。用于疮疡溃烂，外伤出血。

| **用法用量** | 内服煎汤，6 ～ 10 g。外用适量，鲜品捣敷。

| **凭证标本号** | 李泽贤、邢福武 1901。

红树科 Rhizophoraceae 秋茄树属 Kandelia

秋茄树

Kandelia obovata Sheue, H. Y. Liu & J. W. H. Yong

| 药材名 |

秋茄树（药用部位：树皮。别名：浪柴、红浪、茄行树）。

| 形态特征 |

灌木或小乔木。叶椭圆形、长圆状椭圆形或近倒卵形，长 5 ~ 9 cm，宽 2.5 ~ 4 cm。二歧聚伞花序，有花 4（~ 9）；总花梗长短不一，1 ~ 3 着生于上部叶腋，长 2 ~ 4 cm；花萼裂片革质，长 1 ~ 1.5 cm，宽 1.5 ~ 2 mm，短尖，花后外反；花瓣白色，膜质，短于花萼裂片；雄蕊无定数；花柱丝状，与雄蕊等长。果实圆锥形，长 1.5 ~ 2 cm。花果期几全年。

| 生境分布 |

生于海湾和河流出口的冲积咸滩。分布于广东海丰、斗门、台山、阳西、廉江、雷州、徐闻及汕头（市区）、东莞（市区）、湛江（市区）、深圳（市区）。

| 资源情况 |

野生资源较丰富。药材主要来源于野生。

| 采收加工 |

全年均可采收，鲜用。

| **功能主治** | 苦、涩，平。止血敛伤。外用于金创刀伤等外伤性出血，烫火伤等。

| **用法用量** | 外用适量，鲜品捣敷。

| **凭证标本号** | 440882180602084LY。

红树科 Rhizophoraceae 红树属 Rhizophora

红茄苳
Rhizophora mucronata Poir.

| **药材名** | 红茄苳（药用部位：茎皮、根。别名：茄藤）。

| **形态特征** | 乔木。叶阔椭圆形至矩圆形，长 10 ~ 16 cm，宽 5 ~ 10 cm。总花梗从当年生的叶腋长出；花萼裂片卵形，长 12 ~ 15 mm，宽 5 ~ 7 mm，淡黄色；花瓣比花萼短，边缘被白色长毛；雄蕊 8，瓣上着生 4，萼上着生 4；子房上部圆锥形。成熟的果实长卵形，先端收窄，基部粗糙，暗褐绿色，长 5 ~ 7 cm，直径 2.5 ~ 3.5 cm；胚轴圆柱形，粗糙，长 36 ~ 64 cm，直径 1.8 cm。

| **生境分布** | 生于海滩上。分布于广东徐闻。

| 资源情况 | 野生资源较丰富。药材主要来源于野生。

| 采收加工 | 夏、秋季采收，鲜用或晒干。

| 功能主治 | 酸、涩，寒。解毒利咽，清热利湿，凉血止血。用于咽喉肿痛，泄泻，痢疾，尿血，外伤出血。

| 用法用量 | 内服煎汤，6 ~ 15 g。外用适量，鲜品捣敷。

| 凭证标本号 | 曾沛 10151。

金丝桃科 Hypericaceae 黄牛木属 *Cratoxylum*

黄牛木

Cratoxylum cochinchinense (Lour.) Bl. [*Cratoxylum ligustrinum* Bl.]

| 药 材 名 | 黄牛木（药用部位：全株。别名：黄牛茶、黄芽茶）。

| 形态特征 | 灌木或乔木。叶椭圆形至长椭圆形或披针形，长 3 ～ 10.5 cm，宽 1 ～ 4 cm。聚伞花序；萼片椭圆形；花瓣粉红色、深红色至红黄色，倒卵形；雄蕊 3 束；子房圆锥形；花柱 3。蒴果椭圆形，长 8 ～ 12 mm，宽 4 ～ 5 mm，棕色，无毛，被宿存的花萼包被 2/3 以上。花期 4 ～ 5 月，果期 6 ～ 12 月。

| 生境分布 | 生于海拔 50 ～ 400 m 山地、丘陵的疏林或灌丛中。广东各地均有分布。

| 资源情况 | 野生资源较丰富。药材主要来源于野生。

| 采收加工 | 夏、秋季采收，切片，晒干。

| 功能主治 | 甘、微苦，凉。解暑清热，利湿消滞。用于感冒，中暑发热，急性胃肠炎，黄疸。

| 用法用量 | 内服煎汤，9 ~ 15 g。

| 凭证标本号 | 440882180512534LY。

金丝桃科 Hypericaceae 金丝桃属 Hypericum

黄海棠
Hypericum ascyron L.

| **药 材 名** | 黄海棠（药用部位：全草。别名：长柱金丝桃、短柱金丝桃、湖南连翘）。

| **形态特征** | 草本。叶披针形或长圆状披针形。花直径 3 ~ 8 cm，平展或外反；花蕾卵球形，先端圆形或钝形；萼片卵形、披针形至椭圆形或长圆形；花瓣金黄色，倒披针形，长 1.5 ~ 4 cm，宽 0.5 ~ 2 cm；雄蕊极多数，5 束，每束有雄蕊约 30，花药金黄色；子房宽卵形至狭卵状三角形。蒴果为宽或狭的卵形或卵状三角形，长 0.9 ~ 2.2 cm，宽 0.5 ~ 1.2 cm，棕褐色，成熟后先端 5 裂。花期 7 ~ 8 月，果期 8 ~ 9 月。

| **生境分布** | 生于低海拔的山地、疏林、灌丛或草地。分布于广东乐昌、乳源、始兴、连州、阳山、潮安等。

| **资源情况** | 野生资源较丰富。药材主要来源于野生。

| **采收加工** | 夏、秋季采收，晒干。

| **功能主治** | 苦，寒。凉血止血，活血调经，清热解毒。用于血热所致吐血，咯血，尿血，便血，崩漏，跌打损伤，外伤出血，月经不调，痛经，乳汁不下，风热感冒，疟疾，肝炎，痢疾，腹泻，毒蛇咬伤，烫伤，湿疹，黄水疮。

| **用法用量** | 内服煎汤，5 ~ 10 g。外用适量，鲜品捣敷。

| **凭证标本号** | 罗献瑞 716。

金丝桃科 Hypericaceae 金丝桃属 Hypericum

赶山鞭

Hypericum attenuatum Choisy

药 材 名	赶山鞭（药用部位：全草。别名：野金丝桃）。
形态特征	草本。叶卵状长圆形、卵状披针形至长圆状倒卵形。伞房状或圆锥状花序；萼片卵状披针形，长约 5 mm，宽 2 mm；花瓣淡黄色，长圆状倒卵形；雄蕊 3 束，每束有雄蕊约 30，花药具黑腺点；子房卵形。蒴果卵形或长圆状卵形，长 0.6 ~ 10 mm，宽约 4 mm，具长短不等的条状腺斑。花期 7 ~ 8 月，果期 8 ~ 9 月。
生境分布	生于山地的草坡。分布于广东乐昌、乳源、仁化、连州、龙门、和平、海丰、惠阳、博罗、信宜、广宁、怀集。

| **资源情况** | 野生资源较丰富。药材主要来源于野生。

| **采收加工** | 夏、秋季采收，鲜用或晒干。

| **功能主治** | 苦，平。止血，镇痛，通乳。用于咯血，吐血，子宫出血，风湿关节痛，神经痛，跌打损伤，乳汁不足，乳腺炎；外用于创伤出血，痈疖肿毒。

| **用法用量** | 内服煎汤，9 ~ 15 g。外用适量，研末撒敷；或鲜品捣敷。

| **凭证标本号** | 441427180715491LY。

金丝桃科 Hypericaceae 金丝桃属 Hypericum

小连翘

Hypericum erectum Thunb. ex Murray

药材名

小连翘（药用部位：全草。别名：小田基、小瞿麦）。

形态特征

草本。叶片长椭圆形至长卵形，长 1.5 ~ 5 cm，宽 0.8 ~ 1.3 cm。花序顶生，多花，伞房状聚伞花序；萼片卵状披针形；花瓣黄色，倒卵状长圆形，长约 7 mm，宽 2.5 mm；雄蕊 3 束，宿存，每束有雄蕊 8 ~ 10；子房卵珠形，长约 3 mm。蒴果卵珠形，长约 10 mm，宽 4 mm，具纵向条纹。花期 7 ~ 8 月，果期 8 ~ 9 月。

生境分布

生于山坡草丛。分布于广东乳源、紫金。

资源情况

野生资源较丰富。药材主要来源于野生。

采收加工

夏、秋季采收，鲜用或晒干。

| **功能主治** | 苦，凉。解毒消肿，散瘀止血。用于吐血，衄血，无名肿毒，毒蛇咬伤，跌打肿痛。 |

| **用法用量** | 内服煎汤，9 ~ 15 g。外用适量，研末撒敷；或鲜品捣敷。 |

| **凭证标本号** | 441882180814011LY。 |

金丝桃科 Hypericaceae 金丝桃属 Hypericum

地耳草

Hypericum japonicum Thunb. ex Murray

| **药 材 名** | 地耳草（药用部位：全草。别名：田基黄、小田基黄、雀舌草）。

| **形态特征** | 草本。叶卵形或卵状三角形至长圆形或椭圆形，长 0.2 ~ 1.8 cm，宽 0.1 ~ 1 cm。花序具花 1 ~ 30，二歧状或多少呈单歧状；萼片狭长圆形或披针形至椭圆形；花瓣白色、淡黄色至橙黄色，椭圆形或长圆形；雄蕊 5 ~ 30，不成束，长约 2 mm，宿存，花药黄色；子房 1 室，长 1.5 ~ 2 mm。蒴果短圆柱形至球形，长 2.5 ~ 6 mm，宽 1.3 ~ 2.8 mm，无腺条纹。花期 3 ~ 8 月，果期 6 ~ 10 月。

| **生境分布** | 生于海拔 50 ~ 800 m 的空旷地。广东各地均有分布。

| **资源情况** | 野生资源较丰富。药材主要来源于野生。

| **采收加工** | 夏、秋季采收，鲜用或晒干。

| **功能主治** | 甘、微苦，凉。清热利湿，解毒消肿，散瘀止痛。用于肝炎，早期肝硬化，阑尾炎，结膜炎，扁桃体炎；外用于痈疖肿毒，带状疱疹，毒蛇咬伤，跌打损伤。

| **用法用量** | 内服煎汤，15 ~ 25 g。外用适量，鲜品捣敷。

| **凭证标本号** | 441324180728052LY。

金丝桃科 Hypericaceae 金丝桃属 Hypericum

金丝桃 *Hypericum monogynum* L. [*Hypericum chinense* L.]

| **药 材 名** | 金丝桃（药用部位：根。别名：金丝海棠、五心花）。

| **形态特征** | 灌木。叶倒披针形、椭圆形至长圆形，长 2 ~ 11.2 cm，宽 1 ~ 4.1 cm。花序近伞房状；萼片宽或狭椭圆形或长圆形至披针形；花瓣黄色，张开，三角状倒卵形；雄蕊 5 束，每束有雄蕊 25 ~ 35，最长者长 1.8 ~ 3.2 cm；子房卵形或卵状圆锥形。蒴果宽卵形，稀为卵状圆锥形，长 6 ~ 10 mm，宽 4 ~ 7 mm；种子深红褐色，圆柱形，长约 2 mm。花期 5 ~ 8 月，果期 8 ~ 9 月。

| **生境分布** | 生于海拔 50 ~ 600 m 的山坡或旷地。分布于广东乳源、乐昌、连州、连南、英德、阳山、博罗、阳春及广州（市区）。

| 资源情况 | 野生资源较丰富。药材主要来源于野生。

| 采收加工 | 夏、秋季采挖，晒干。

| 功能主治 | 苦，凉。清热解毒，祛风消肿。用于急性咽喉炎，结膜炎，肝炎，蛇咬伤。

| 用法用量 | 内服煎汤，3 ~ 9 g。

| 凭证标本号 | 441823190315037LY。

金丝桃科 Hypericaceae 金丝桃属 Hypericum

金丝梅
Hypericum patulum Thunb. ex Murry

| 药 材 名 |

金丝梅（药用部位：全株。别名：芒种花、剪耳花）。

| 形态特征 |

灌木。叶片披针形或长圆状披针形至卵形或长圆状卵形。萼片离生，在花蕾及果时直立，宽卵形、宽椭圆形、近圆形、长圆状椭圆形或倒卵状匙形；花瓣金黄色，长圆状倒卵形至宽倒卵形；雄蕊 5 束，每束有雄蕊 50 ~ 70，最长者长 7 ~ 12 mm，花药亮黄色；子房呈宽卵球形。蒴果宽卵圆形，长0.9 ~ 1.1 cm，宽0.8 ~ 1 cm。花期6 ~ 7 月，果期8 ~ 10 月。

| 生境分布 |

广东无野生分布。广东乐昌、乳源及韶关（市区）有栽培。

| 资源情况 |

有少量栽培。药材主要来源于栽培。

| 采收加工 |

夏、秋季采收，鲜用或晒干。

| **功能主治** | 微苦，寒。清热解毒，凉血止血，杀虫，止痒。用于上呼吸道感染，肝炎，痢疾，肾炎。 |

| **用法用量** | 内服煎汤，6~9g。外用适量，鲜品煎汤洗。 |

| **凭证标本号** | 陈少卿 1395。 |

金丝桃科 Hypericaceae 金丝桃属 Hypericum

元宝草

Hypericum sampsonii Hance

| **药材名** | 元宝草（药用部位：全草。别名：合掌草、小连翘、对叶草）。

| **形态特征** | 草本。叶无柄，其基部完全合生为一体而茎贯穿其中心，宽或狭的披针形至长圆形或倒披针形。萼片长圆形、长圆状匙形或长圆状线形；花瓣淡黄色，椭圆状长圆形；雄蕊 3 束，宿存，每束具雄蕊 10 ~ 14，花药淡黄色，具黑色腺点；子房卵形至狭圆锥形。蒴果阔卵形至宽或狭的卵珠状圆锥形，长 6 ~ 9 mm，宽 4 ~ 5 mm，散布有卵珠状黄褐色囊状腺体。花期 5 ~ 6 月，果期 7 ~ 8 月。

| **生境分布** | 生于海拔 50 ~ 500 m 的山地、旷野或沟旁。分布于广东乐昌、乳源、南雄、始兴、连州、连山、连南、阳山、英德、龙门、和平、五华、梅县、大埔、平远、高要、封开及云浮（市区）。

| 资源情况 | 野生资源较丰富。药材主要来源于野生。

| 采收加工 | 夏、秋季采收，除去泥沙，鲜用或晒干。

| 功能主治 | 辛、苦，寒。通经活络，清热解毒，止血凉血。用于小儿高热，痢疾，肠炎，吐血，衄血，月经不调，带下；外用于外伤出血，跌打损伤，乳腺炎，烫火伤，毒蛇咬伤。

| 用法用量 | 内服煎汤，15 ~ 25 g。外用适量，鲜品捣敷。

| 凭证标本号 | 441825190801073LY。

金丝桃科 Hypericaceae 金丝桃属 Hypericum

密腺小连翘

Hypericum seniawinii Maxim. [*Hypericum lianzhouense* L. H. Wu et D. P. Yang subsp. *guangdongense* L. H. Wu et D. P. Yang]

| 药 材 名 | 密腺小连翘（药用部位：全草）。

| 形态特征 | 草本。叶片长圆状披针形至长圆形，基部浅心形，略抱茎。三歧状聚伞花序具多花，花直径约 9 mm，平展；萼片长圆状披针形，长 2.5 ~ 3.5 mm，宽 1 ~ 1.5 mm；花瓣狭长圆形，长 7 ~ 8 mm，宽约 2.5 mm，上部及边缘疏布黑腺点；雄蕊 3 束，每束有雄蕊 8 ~ 10，花丝略短于花瓣，花药有黑色腺点；子房狭卵珠形，长约 1.5 mm。蒴果卵珠形，长约 5 mm，宽约 4 mm。花期 7 ~ 8 月，果期 9 ~ 10 月。

| 生境分布 | 生于山谷、路旁。分布于广东乳源、龙门、博罗、惠阳。

| 资源情况 | 野生资源较少。药材主要来源于野生。

| **采收加工** | 春、夏季花开时采收，鲜用或晒干。 |

| **功能主治** | 苦，凉。清热利湿，解毒，散瘀消肿。用于湿热黄疸，泄泻，痢疾，肠痈，痈疖肿毒，乳蛾，口疮，目赤肿痛，毒蛇咬伤，跌打损伤等。 |

| **用法用量** | 内服煎汤，15 ~ 30 g，鲜品 30 ~ 60 g。外用适量，鲜品捣敷。 |

| **凭证标本号** | 441422190813551LY。 |

藤黄科 Guttiferae 红厚壳属 Calophyllum

红厚壳
Calophyllum inophyllum L.

| 药 材 名 | 红厚壳（药用部位：根、叶。别名：海棠木、海棠果、胡桐）。

| 形态特征 | 乔木。叶宽椭圆形或倒卵状椭圆形，稀长圆形，长 8 ~ 15 cm，宽 4 ~ 8 cm。总状花序或圆锥花序近顶生；花两性，白色，微香，直径 2 ~ 2.5 cm；花梗长 1.5 ~ 4 cm；花萼裂片 4，花瓣状；花瓣 4，倒披针形，长约 11 mm，先端近平截或浑圆，内弯；雄蕊极多数，花丝基部合生成 4 束；子房近圆球形，花柱细长，蜿蜒状，柱头盾形。果实圆球形，直径约 2.5 cm，成熟时黄色。花期 3 ~ 6 月，果期 9 ~ 11 月。

| 生境分布 | 广东无野生分布。广东广州（市区）、湛江（市区）有引种栽培。

| **资源情况** | 有少量栽培。药材主要来源于栽培。

| **采收加工** | 全年均可采收，鲜用或晒干。

| **功能主治** | 祛瘀止痛。用于风湿疼痛，跌打损伤，痛经，外伤出血。

| **用法用量** | 内服煎汤，9 ~ 15 g。外用适量，鲜品捣敷。

| **凭证标本号** | 叶幸儿、夏念和 yxe-23。

薄叶红厚壳

Calophyllum membranaceum Gardn. et Champ.

| 药 材 名 | 薄叶红厚壳（药用部位：根、叶。别名：横经席、跌打将军）。

| 形态特征 | 灌木至小乔木。叶长圆形或长圆状披针形，长 6 ～ 12 cm，宽 1.5 ～ 3.5 cm。聚伞花序；花萼裂片 4；花瓣 4，倒卵形；雄蕊多数，花丝基部合生成 4 束；子房卵球形。果实卵状长圆球形，长 1.6 ～ 2 cm，先端具短尖头，柄长 10 ～ 14 mm，成熟时黄色。花期 3 ～ 5 月，果期 8 ～ 11 月。

| 生境分布 | 生于海拔 50 ～ 400 m 的山地林中或灌丛中。广东各地均有分布。

| 资源情况 | 野生资源较丰富。药材主要来源于野生。

| **采收加工** | 夏、秋季采收，晒干。

| **功能主治** | 微苦，平。壮腰补肾，活血止痛。用于风湿关节痛，腰腿痛，跌打损伤，黄疸性肝炎，月经不调，痛经；外用于外伤出血。

| **用法用量** | 内服煎汤，15 ～ 30 g。外用适量，叶研末撒敷。

| **凭证标本号** | 441523190514032LY。

藤黄

Garcinia hanburyi Hook. f.

| 药 材 名 | 藤黄（药用部位：树脂）。

| 形态特征 | 乔木。叶椭圆状卵形或卵状披针形，长 10 ~ 15 cm，宽 5 ~ 7 cm，先端钝，基部楔形，全缘；叶柄长约 8 mm。花两性，腋生，黄色；雄花 2 ~ 3，花萼与花瓣各 4，雄蕊多数；雌花单生，子房 4 室。浆果圆球形，直径约 2 cm，成熟时黄色。花期 10 ~ 11 月，果期翌年 2 ~ 3 月。

| 生境分布 | 广东无野生分布。广东湛江（市区）有引种栽培。

| 资源情况 | 有少量栽培。药材主要来源于栽培。

| 采收加工 | 夏季花开前，在离地 3 m 处将茎干的皮部做螺旋状切割，伤口内插一竹管，收集树脂，加热蒸干。

| **药材性状** | 本品呈不规则的圆柱形或块状，棕红色或橙棕色，外被黄绿色粉霜，可见纵条纹。质硬脆，较易击碎，破面有空隙，具蓝褐色略带蜡样光泽。味酸、涩。 |

| **功能主治** | 酸、涩，凉。消肿，攻毒，祛腐敛疮，止血，杀虫。用于痈疽肿毒，溃疡，湿疮，肿瘤，顽癣，跌打肿痛，创伤出血，烫伤。 |

| **用法用量** | 内服入丸剂，0.03 ~ 0.06 g。外用适量，研末调敷；或磨汁涂搽；或熬膏涂敷。 |

藤黄科 Guttiferae 藤黄属 Garcinia

莽吉柿 *Garcinia mangostana* L.

药 材 名

莽吉柿（药用部位：果实、叶。别名：倒捻子、风果、山竹子）。

形态特征

小乔木。叶椭圆形或椭圆状矩圆形，长14～25 cm，宽5～10 cm，先端短渐尖，基部宽楔形或近圆形；叶柄粗壮。雄花2～9簇生于枝条先端，花梗短，雄蕊合生成4束，退化雌蕊圆锥形；雌花单生或成对，子房5～8室。果实成熟时紫红色，间有黄褐色斑块，光滑，有种子4～5，假种皮瓢状多汁，白色。花期9～10月，果期11～12月。

生境分布

广东无野生分布。广东徐闻引种栽培。

资源情况

有少量栽培。药材主要来源于栽培。

采收加工

果实，冬季采收，晒干；叶，全年均可采收，晒干。

| 功能主治 | 果实，甘，温。祛痰镇咳。用于咳嗽。叶，止下痢。用于痢疾。

| 用法用量 | 内服煎汤，6 ~ 15 g。

藤黄科 Guttiferae 藤黄属 Garcinia

多花山竹子

Garcinia multiflora Champ. ex Benth.

| 药 材 名 | 多花山竹子（药用部位：茎皮、果实。别名：山竹子）。

| 形态特征 | 乔木。叶卵形、长圆状卵形或长圆状倒卵形，长 7 ~ 16 cm，宽 3 ~ 6 cm。花杂性，同株；雄花序成聚伞状圆锥花序，雄花直径 2 ~ 3 cm，花梗长 0.8 ~ 1.5 cm，萼片 2 大 2 小，花瓣橙黄色，倒卵形，雄蕊每束约有花药 50，聚合成头状；雌花序有雌花 1 ~ 5，子房长圆形，上半部略宽，2 室，无花柱，柱头大而厚，盾形。果实卵圆形至倒卵圆形，长 3 ~ 5 cm，直径 2.5 ~ 3 cm，成熟时黄色，盾状柱头宿存。花期 6 ~ 8 月，果期 11 ~ 12 月。

| 生境分布 | 生于海拔 300 ~ 900 m 的山地林中。广东各地均有分布。

| 资源情况 | 野生资源较丰富。药材主要来源于野生。

| 采收加工 | 秋、冬季采收，晒干。

| 功能主治 | 苦、涩，凉；有小毒。消炎止痛，收敛生肌。用于肠炎，小儿消化不良，复合性胃和十二指肠溃疡，溃疡轻度出血，口腔炎，牙周炎；外用于烫火伤，下肢溃疡，湿疹。

| 用法用量 | 内服煎汤，6～9g。外用适量，研末调敷。

| 凭证标本号 | 441825190711024LY。

藤黄科 Guttiferae 藤黄属 Garcinia

岭南山竹子

Garcinia oblongifolia Champ. ex Benth.

| **药 材 名** | 岭南山竹子（药用部位：茎皮、果实。别名：竹桔、倒卵山竹子、黄牙果）。

| **形态特征** | 乔木。叶长圆形、倒卵状长圆形至倒披针形，长 5 ~ 10 cm，宽 2 ~ 3.5 cm。花小，单性，异株，单生或成伞形状聚伞花序；雄花萼片等大，近圆形，长 3 ~ 5 mm，花瓣橙黄色或淡黄色，倒卵状长圆形，长 7 ~ 9 mm，雄蕊多数，合生成 1 束，花药聚生成头状；雌花的萼片、花瓣与雄花相似，子房卵球形。浆果卵球形或圆球形，长 2 ~ 4 cm，直径 2 ~ 3.5 cm，基部萼片宿存，先端承以隆起的柱头。花期 4 ~ 5 月，果期 10 ~ 12 月。

| **生境分布** | 生于海拔 50 ~ 400 m 的山地林中。分布于广东连山、惠东、紫金、博罗、斗门、台山、高要、信宜、封开、阳西、阳春、雷州、高州、

徐闻及广州（市区）、云浮（市区）、深圳（市区）。

| **资源情况** | 野生资源较丰富。药材主要来源于野生。

| **采收加工** | 夏、秋季采收，晒干。

| **功能主治** | 苦、涩，凉；有小毒。消炎止痛，收敛生肌。用于肠炎，小儿消化不良，复合性胃和十二指肠溃疡，溃疡轻度出血，口腔炎，牙周炎；外用于烫火伤，下肢溃疡，湿疹。

| **用法用量** | 内服煎汤，6 ~ 9 g。外用适量，研末调敷。

| **凭证标本号** | 440781190711006LY。

椴树科 Tiliaceae 田麻属 Corchoropsis

田麻
Corchoropsis tomentosa (Thunb.) Makino

| 药 材 名 | 田麻（药用部位：全草。别名：毛果田麻、黄花喉草、白喉草）。

| 形态特征 | 草本。叶卵形或狭卵形，长 2.5 ～ 6 cm，宽 1 ～ 3 cm，边缘有钝牙齿。花有细梗，单生于叶腋，直径 1.5 ～ 2 cm；萼片 5，狭披针形，长约 5 mm；花瓣 5，黄色，倒卵形；发育雄蕊 15，每 3 成 1 束，退化雄蕊 5，与萼片对生，匙状条形，长约 1 cm；子房被短茸毛。蒴果角状圆筒形，长 1.7 ～ 3 cm，有星状柔毛。果期秋季。

| 生境分布 | 生于山地灌丛或石缝。分布于广东乐昌、乳源、始兴、连州、仁化、阳山、和平、博罗、怀集。

| 资源情况 | 野生资源较丰富。药材主要来源于野生。

| **采收加工** | 夏、秋季采收，鲜用或晒干。

| **功能主治** | 平肝利湿，解毒，止血。用于小儿疳积，带下，痈疖肿毒，外伤出血。

| **用法用量** | 内服煎汤，9～15 g。外用适量，鲜品捣敷。

| **凭证标本号** | 441825190710019LY。

椴树科 Tiliaceae 黄麻属 *Corchorus*

甜麻

Corchorus aestuans L. [*Corchorus acutangulus* Lam.]

| 药 材 名 | 甜麻（药用部位：全草或叶。别名：野黄麻、假黄麻、针筒草）。

| 形态特征 | 披散草本。叶卵形或阔卵形，长 4.5 ~ 6.5 cm，宽 3 ~ 4 cm。花单生或数朵组成聚伞花序；萼片 5，狭长圆形；花瓣 5，与萼片近等长，倒卵形，黄色；雄蕊多数；子房长圆柱形，被柔毛。蒴果长筒形，长约 2.5 cm，直径约 5 mm，具 6 纵棱；种子多数。花期夏季。

| 生境分布 | 生于荒地、旷野、村旁。广东各地均有分布。

| 资源情况 | 野生资源较丰富。药材主要来源于野生。

| 采收加工 | 全草，夏、秋季采收，晒干；叶，全年均可采收，鲜用。

| 功能主治 | 苦，寒。清热解毒，消肿拔毒。用于中暑发热，痢疾，咽喉疼痛；外用于疮疖肿毒。

| 用法用量 | 内服煎汤，15 ~ 30 g。外用适量，鲜叶捣敷。孕妇忌用。

| 凭证标本号 | 440281190814021LY。

椴树科 Tiliaceae 黄麻属 Corchorus

黄麻

Corchorus capsularis L.

| 药 材 名 | 黄麻（药用部位：叶、种子、根。别名：苦麻叶、络麻）。 |

| 形态特征 | 草本。叶卵状披针形至狭披针形，长 5 ~ 12 cm，宽 2 ~ 5 cm。花单生或数朵排成腋生聚伞花序，有短的花序梗及花梗；萼片 4 ~ 5，长 3 ~ 4 mm；花瓣黄色，倒卵形，与萼片约等长；雄蕊 18 ~ 22，离生；子房无毛，柱头浅裂。蒴果球形，直径 1 cm 或稍大，先端无角，表面有直行钝棱及小瘤状突起，5 片裂开。花期夏季，果实秋后成熟。 |

| 生境分布 | 广东无野生分布。广东各地有栽培。 |

| 资源情况 | 药材主要来源于栽培。 |

| **采收加工** | 夏、秋季采收，鲜用或晒干。 |

| **功能主治** | 苦，寒。清热解毒，拔毒消肿。用于预防中暑，中暑发热，痢疾；外用于疮疖肿毒。 |

| **用法用量** | 内服煎汤，15 ～ 30 g。外用适量，鲜叶捣敷。孕妇忌用。 |

| **凭证标本号** | 440783191006027LY。 |

椴树科 Tiliaceae 黄麻属 Corchorus

长蒴黄麻

Corchorus olitorius L.

| 药 材 名 | 长蒴黄麻（药用部位：全草。别名：苦麻叶、黄麻叶、食用黄麻）。

| 形态特征 | 草本。叶长圆状披针形，长 7 ～ 10 cm，宽 2 ～ 4.5 cm。花单生或数朵排成腋生聚伞花序；萼片长圆形，先端有长角，基部有毛；花瓣与萼片等长或稍短，长圆形，基部有柄；雄蕊多数，离生；雌、雄蕊柄极短，无毛；子房有毛，柱头盘状，有浅裂。蒴果长 3 ～ 8 cm，稍弯曲，具 10 棱，先端有 1 凸起的角，5 ～ 6 爿裂开，有横隔；种子倒圆锥形，略有棱。花期夏、秋季。

| 生境分布 | 广东无野生分布。广东各地均有栽培。

| 资源情况 | 有少量栽培。药材主要来源于栽培。

采收加工	夏、秋季采收，晒干。
功能主治	甘，温；有毒。疏风，止咳，清热，止痒。用于感冒咳嗽，痢疾，皮肤瘙痒。
用法用量	内服煎汤，9 ~ 15 g。外用适量，煎汤洗。
凭证标本号	陈少卿 7861。

椴树科 Tiliaceae 扁担杆属 Grewia

扁担杆
Grewia biloba G. Don

| **药 材 名** | 扁担杆（药用部位：全株或根。别名：娃娃拳、麻糖果、葛荆麻）。

| **形态特征** | 灌木。叶狭菱状卵形或狭菱形，长 2 ~ 9 cm，宽 1 ~ 4 cm，上面粗糙，疏被星状毛，背面疏生星状硬毛，先端钝尖，基部楔形，基出脉 3；叶柄长 6 ~ 15 mm，被星状毛。聚伞花序与叶对生；花淡黄绿色或黄绿色，直径不及 1 cm；萼片 5，外面被灰色短毛；花瓣 5；雄蕊多数；子房被毛，花柱长。核果橙红色，直径 7 ~ 12 mm，无毛，2 裂，每裂有 2 核，每核有种子 2 ~ 4。花期 6 ~ 7 月，果期 8 ~ 9 月。

| **生境分布** | 生于低山丘陵路边灌丛或疏林。分布于广东乐昌、乳源、始兴、南雄、连州、连山、阳山、英德、和平、惠阳、高要、阳春及清远（市区）、汕头（市区）。

| 资源情况 | 野生资源较丰富。药材主要来源于野生。

| 采收加工 | 夏、秋季采收，晒干。

| 功能主治 | 辛、甘，温。健脾益气，固精止带，祛风除湿。用于小儿疳积，脾虚久泻，遗精，血崩，带下，子宫脱垂，脱肛，风湿关节痛。

| 用法用量 | 内服煎汤，15 ~ 30 g；或浸酒。

| 凭证标本号 | 440281190817002LY。

椴树科 Tiliaceae 扁担杆属 Grewia

小花扁担杆

Grewia biloba G. Don var. parviflora (Bunge) Hand.-Mazz.

| 药 材 名 | 小花扁担杆（药用部位：枝、叶。别名：扁担木、山络麻）。

| 形态特征 | 灌木或小乔木。叶椭圆形或倒卵状椭圆形，长4～9 cm，宽2.5～4 cm。聚伞花序腋生，多花，花序梗长不及1 cm；花梗长3～6 mm；苞片钻形，长3～5 mm；萼片狭长圆形，长3～5 mm，外面被毛，内面无毛；花瓣长约1 mm；雌、雄蕊柄长0.5 mm，有毛；雄蕊长2 mm；子房有毛，花柱与萼片平齐，柱头扩大，盘状，有浅裂。核果红色，有2～4分核。

| 生境分布 | 生于山地疏林。分布于广东南雄。

| **资源情况** | 野生资源较丰富。药材主要来源于野生。

| **采收加工** | 夏、秋季采收，晒干。

| **功能主治** | 甘、苦，温。健脾养血。用于小儿疳积，脾虚久泻，遗精，血崩，带下，子宫脱垂，脱肛，风湿关节痛。

| **用法用量** | 内服煎汤，15 ~ 30 g。

| **凭证标本号** | 440523190720015LY。

椴树科 Tiliaceae 扁担杆属 Grewia

毛果扁担杆

Grewia eriocarpa Juss.

| 药 材 名 | 毛果扁担杆（药用部位：花、叶。别名：杠木、山麻树）。

| 形 态 特 征 | 灌木或小乔木。叶斜卵形至卵状长圆形，长 6 ~ 13 cm，宽 3 ~ 6 cm。聚伞花序 1 ~ 3 枝腋生，长 1.5 ~ 3 cm，花序梗长 3 ~ 8 mm；花梗长 3 ~ 5 mm；苞片披针形；花两性；萼片狭长圆形，长 6 ~ 8 mm，内外两面均被毛；花瓣长 3 mm；腺体短小；雌、雄蕊柄被毛；雄蕊离生，长短不一，比萼片短；子房被毛，花柱有短柔毛，柱头盾形，4 浅裂或不分裂。核果近球形，直径 6 ~ 8 mm，被星状毛，有浅沟。

| 生 境 分 布 | 广东无野生分布。广东广州（市区）有栽培。

| 资源情况 | 有少量栽培。药材主要来源于栽培。

| 采收加工 | 全年均可采收，晒干。

| 功能主治 | 止痛。用于胃痛。

| 用法用量 | 内服煎汤，10 ~ 15 g。

| 凭证标本号 | 叶华谷、邢福武 346。

椴树科 Tiliaceae 扁担杆属 Grewia

寡蕊扁担杆

Grewia oligandra Pierre

| 药 材 名 | 寡蕊扁担杆（药用部位：根皮。别名：狗核树）。

| 形态特征 | 灌木。叶披针形或长圆状披针形，长 9 ~ 10.5 cm，宽 2 ~ 3.5 cm。聚伞花序有花 3 ~ 5，花序梗长 4 ~ 7 mm；花梗长 3 ~ 4 mm，均被茸毛；苞片长 3 ~ 4 mm；萼片长 5 ~ 6 mm，外面有茸毛，内面无毛；花瓣长圆形，长 2 ~ 3 mm；腺体鳞片状，周围有毛；雄蕊比萼片短；子房被毛，柱头多裂。核果双球形或四球形，直径 1 cm，发亮。花期 8 月。

| 生境分布 | 生于山谷疏林或村边荒野灌丛。分布于广东博罗及广州（市区）。

| 资源情况 | 野生资源较丰富。药材主要来源于野生。 |

| 采收加工 | 夏、秋季采收，鲜用或晒干。 |

| 功能主治 | 淡、微辛，凉。祛湿解毒。用于痢疾，脚气浮肿；外用于疮疖红肿。 |

| 用法用量 | 内服煎汤，9 ～ 15 g。外用适量，鲜品捣烂调红糖敷。 |

| 凭证标本号 | 邓良 10732。 |

椴树科 Tiliaceae 破布叶属 Microcos

破布叶 *Microcos paniculata* L.

| 药 材 名 |

破布叶（药用部位：叶。别名：布渣叶）。

| 形 态 特 征 |

小乔木。叶卵形或卵状长圆形，长8～18 cm，宽4～8 cm。花序大，顶生或生于上部叶腋内，苞片及总花梗被灰黄色短柔毛；花梗细而短；萼片5，长圆形，长约5 mm，被星状柔毛；花瓣5，淡黄色，长圆形，长为萼片的1/3～1/2，两面被灰黄色柔毛，腺体的大小约为花瓣的1/2；雄蕊多数，离生；子房近球形，无毛，黑褐色，柱头锥状。核果近球形或倒卵形。花期夏、秋季，果期冬季。

| 生 境 分 布 |

生于山坡、沟谷及灌丛。分布于广东博罗、斗门、高要、阳春、阳西、高州及广州（市区）、深圳（市区）。

| 资 源 情 况 |

野生资源较丰富。药材主要来源于野生。

| 采 收 加 工 |

夏、秋季采摘，阴干。

| **功能主治** | 淡、微酸，平。清暑，消食，化痰。用于感冒，中暑，食滞，消化不良，腹泻。 |

| **用法用量** | 内服煎汤，15 ～ 50 g。 |

| **凭证标本号** | 440781190515025LY。 |

椴树科 Tiliaceae 刺蒴麻属 Triumfetta

单毛刺蒴麻 Triumfetta annua L.

| 药材名 | 单毛刺蒴麻（药用部位：叶。别名：小刺蒴麻）。

| 形态特征 | 草本或亚灌木。叶卵形或卵状披针形，长 5 ~ 11 cm，宽 3 ~ 7 cm。聚伞花序腋生，花序梗极短；花梗长 3 ~ 6 mm；苞片长 2 ~ 3 mm，均被长毛；萼片长 5 mm，先端有角；花瓣比萼片稍短，倒披针形；雄蕊 10；子房被刺毛，3 ~ 4 室，花柱短，柱头 2 ~ 3 浅裂。蒴果扁球形，刺长 5 ~ 7 mm，无毛，先端弯勾，基部有毛。花期秋季。

| 生境分布 | 生于荒野及路旁。分布于广东乳源、始兴、仁化、连南、英德、惠阳、怀集、封开。

| 资源情况 | 野生资源较丰富。药材主要来源于野生。

| 采收加工 | 夏、秋季采收，鲜用。

| 功能主治 | 清热解毒。外用于痈疖红肿，外伤出血。

| 用法用量 | 外用适量，捣敷。

| 凭证标本号 | 440224181117011LY。

椴树科 Tiliaceae 刺蒴麻属 *Triumfetta*

毛刺蒴麻 *Triumfetta cana* Bl. [*Triumfetta tomentosa* Bojer.]

| 药 材 名 | 毛刺蒴麻（药用部位：根、叶。别名：蓬绒木、长钩刺蒴麻、大刺蒴麻）。

| 形态特征 | 草本。叶卵形或卵状披针形，长 4 ~ 8 cm，宽 2 ~ 4 cm。聚伞花序 1 至数枝腋生，花序梗长约 3 mm；花梗长 1.5 mm；萼片狭长圆形，长 7 mm，被茸毛；花瓣比萼片略短，长圆形，基部有短柄，柄有睫毛；雄蕊 8 ~ 10 或稍多；子房有刺毛，4 室，柱头 3 ~ 5 裂。蒴果球形，有长 5 ~ 7 mm 的刺，刺弯曲，被柔毛，4 片裂开，每室有种子 2。花期夏、秋季。

| 生境分布 | 生于旷野及灌丛中。广东各地均有分布。

| **资源情况** | 野生资源较丰富。药材主要来源于野生。

| **采收加工** | 夏、秋季采收，晒干。

| **功能主治** | 甘、淡，凉。清热解毒。用于痢疾，跌打损伤。

| **用法用量** | 内服煎汤，15 ~ 30 g。

| **凭证标本号** | 441825191002045LY。

椴树科 Tiliaceae 刺蒴麻属 Triumfetta

长勾刺蒴麻

Triumfetta pilosa Roth

| 药 材 名 | 长勾刺蒴麻（药用部位：全株。别名：黐头婆、虱麻头、密马专）。

| 形态特征 | 亚灌木。叶卵形或长卵形，长 3 ~ 7 cm。聚伞花序 1 至数枝腋生，花序梗长 5 ~ 8 mm；花梗长 3 ~ 5 mm；苞片披针形，长 1 mm；萼片狭披针形，长 7 mm，先端有角，被毛；花瓣黄色，与萼片等长；雄蕊 10；子房被毛。蒴果有长 8 ~ 10 mm 的刺，刺被毛，先端有勾。花期 5 ~ 8 月。

| 生境分布 | 生于灌丛。分布于广东乐昌、乳源、连州、连南、阳山、新丰、和平、罗定、阳春。

| 资源情况 | 野生资源较丰富。药材主要来源于野生。

| 采收加工 | 夏、秋季采收，晒干。

| 功能主治 | 甘、微辛，温。活血行气，散瘀消肿。用于月经不调，瘀积疼痛，跌打损伤。

| 用法用量 | 内服煎汤，3 ~ 9 g。

| 凭证标本号 | 441882181101020LY。

刺蒴麻
Triumfetta rhomboidea Jacq.

药材名

刺蒴麻（药用部位：全株。别名：细叶痴头猛、黄花虱麻头、细号虱母头）。

形态特征

亚灌木。生于茎下部的叶阔卵圆形，长3～8 cm，宽2～6 cm；生于上部的叶长圆形；上面有疏毛，下面有星状柔毛，基出脉3～5，两侧脉直达裂片尖端，边缘有不规则的粗锯齿；叶柄长1～5 cm。聚伞花序数枝腋生，花序梗及花梗均极短；萼片狭长圆形，长5 mm，先端有角，被长毛；花瓣比萼片略短，黄色，边缘有毛；雄蕊10；子房有刺毛。果实球形，不开裂，被灰黄色柔毛，具长2 mm的勾针刺，有种子2～6。花期夏、秋季，果期冬季。

生境分布

生于旷野、路旁、林缘。广东各地均有分布。

资源情况

野生资源较丰富。药材主要来源于野生。

采收加工

夏、秋季采收，晒干。

| **功能主治** | 甘、淡，凉。解表清热，利尿散结。用于风热感冒，尿路结石。

| **用法用量** | 内服煎汤，15 ~ 30 g。

| **凭证标本号** | 441225181121006LY。